i y i ki **k i t a p** l a r v a r . . .

TİMAŞ YAYINLARI
İstanbul 2013

timas.com.tr

Cennete Götüren Namaz
Ahmet Bulut

TİMAŞ YAYINLARI | 3265
Ailede Din Eğitimi Dizisi | 44
İbadet Kitaplığı | 17

GENEL YAYIN YÖNETMENİ
Emine Eroğlu

EDİTÖR
Yasemin Muş

KAPAK TASARIMI
Ravza Kızıltuğ

1. BASKI
Kasım 2013, İstanbul

ISBN
ISBN 978-605-08-1273-2

9 786050 812732

TİMAŞ YAYINLARI
Cağaloğlu, Alemdar Mahallesi,
Alayköşkü Caddesi, No: 5, Fatih/İstanbul
Telefon: (0212) 511 24 24 Faks: (0212) 512 40 00
P.K. 50 Sirkeci / İstanbul

timas.com.tr
timas@timas.com.tr
facebook.com/timasyayingrubu
twitter.com/timasyayingrubu

Kültür Bakanlığı Yayıncılık
Sertifika No: 12364

BASKI VE CİLT
Sistem Matbaacılık
Yılanlı Ayazma Sok. No: 8
Davutpaşa-Topkapı/İstanbul
Telefon: (0212) 482 11 01
Matbaa Sertifika No: 16086

CENNETE GÖTÜREN NAMAZ

Ahmet Bulut

AHMET BULUT

1971 yılında Çanakkale'nin Bayramiç ilçesi Karaköy köyünde doğdu.

İlkokulu köyde, orta ve liseyi Bayramiç İmam Hatip'te, üniversiteyi Marmara Üniversitesi İlahiyat Fakültesi'nde okudu.

Türkiye onu namazla tanıdı. Namaz gönüllülerinin çalışmalarını organize ediyor, konferanslara katılıyor, tv ve radyo programları yapıyor.

Evli ve dört çocuk babasıdır.

Yayınlanmış eserleri:

Namaz Dirilişe Çağrı (151. Baskı)

Ramazanı Nasıl İhya Ederim (18. Baskı)

Çocuklarımıza Namazı Nasıl Sevdirelim (9. Baskı)

Kur'an'la Yaşamak (4. Baskı 15.500)

Fatma, Dua Engel Tanımaz (31. Baskı)

Aşkın Ev Hali (6.Baskı 35.500)

İrtibat:
Twitter: @ahmedbulut
Facebook: ahmetbulut ve ahmetbulut ilahiyatciyazar
Mail: hacebulut@hotmail.com , ahmet.hace@gamil.com

İÇİNDEKİLER

Namaza başladığım yıllarda sabah namazlarını
vaktinde kılabilmemde bana destek olan, son
nefesine kadar namazını aşkla kılan ve İmam Hatip
Lisesi'ne giderken altı yıl boyunca bana hizmet
eden, ümmî nimem, Hacı Şadiye Hanım'ın ruhuna...

Duamız!

Hamd, alemleri yoktan var eden, varlığından haberdar eden, peygamberler gönderip yol gösteren, kitapla nimetlendiren, son dine mensup kılan ve son peygamber Hz. Muhammed'e$^{(sav)}$ ümmet yapan; evvel, ahir, zahir ve batın olan, işiten, gören, bilen ve her şeye gücü yeten, bize bizden daha yakın olan, yerlerin ve göklerin, dünya ve ahiretin tek sahibi ve sahibimiz olan Allah'a$^{(cc)}$...

Hz. Ali Efendimiz ne güzel tarif etmiş, "Dinin evveli O'nu tanımaktır. Tanıyışın kemali O'nu tasdik etmektir. Tasdik edişin kemali O'nu bir bilmektir. Bir bilişin kemali O'na karşı öz doğruluğuna ermektir. Öz doğruluğunun kemali O'nu noksan sıfatlardan tenzih etmektir. Çünkü bilmek gerekir ki ne sıfat söylenirse söylensin, O sıfatla vasfedilemez; her sıfat, vasfedilenden gayridir; onunla bilinemez."

Ya Rabbi, biz Seni hakkıyla medh-ü sena edemeyiz. Sen kendini sena ettiğin gibisin.

Biz Seni hakkıyla tanıyamadık.

Sana gereği gibi kulluk edemedik.

Ya Rabbi bizi razı olacağın bir kul eyle.

Sana layıkıyla ibadet edemedik. Sana layık ibadet edebilmeyi nasip eyle.

Firdevs cennetine girmemize vesile olacak namazlarımızı huşu ile kılabilmeyi bizlere nasip eyle.

En güzel anımızı Sana kavuşma anımız eyle.

Salat ve selam alemlere rahmet olarak gönderilen, "Beni Rabbim terbiye etti, terbiyemi ne güzel yaptı" buyuran ve "Beni nasıl namaz kılar gördüyseniz siz de öyle kılın" diye uyaran; miraçta ümmetini anan, miraç hediyesi olarak namazı getiren, Tahiyyat ile miracı yaşatan, namazı gözünün nuru, cennetin anahtarı ve mü'minin miracı olarak tarif eden, müjdecimiz, uyarıcımız, mürşidimiz ve peygamberimiz Hz. Muhammed'e(sav) olsun.

Ya Rabbi, bizi Efendimizin(sav) kıldığı gibi, son namazımızı kılar gibi, aşkla miracımız olacak namazlar kılmayı nasip eyle.

Selam, O'nun yolunu izleyen, mirasına sahip çıkan, nefsini O'na tercih eden, namazlarını vaktinde, cemaatle ve huşu ile kılmaya çalışıp namazın hakikatini keşfedememiş kardeşlerine anlatma derdine düşen, Efendimizin(sav) "kardeşimdir" diye müjdeleyip, "özledim" diye iltifat ettiği bahtiyar müslüman kardeşlerime olsun.

Ya Rabbi, sevdiklerimizden ve yaşadığımız toplumda namazsız bir kardeşimiz kalmayıncaya kadar insanları Seninle buluşturma ve namaza çağırma azmimizi kaybettirme.

De ki: "Benim namazım, (hac, umre, diğer) ibadetlerim, hayatım ve ölümüm alemlerin Rabbi Allah içindir."[1]

De ki: "İşte benim yolum budur (Allah'ın dinine davettir). Ben, basîretle (bilerek, inanarak ve açık bir delil ile) Allah'a davet ederim ve bana uyanlar da (öyledir). Allah'ı tenzih eder (O'nu her türlü noksanlıklardan uzak tutar)ım. Ben (Allah'a) ortak koşanlardan değilim."[2]

Alemlerin Rabbi olan Allah'a hamdolsun.

---

1 En'am suresi, 162
2 Yusuf suresi, 108

SÖZ BAŞI

Namaz, Efendimize(sav) peygamberliğinin ikinci gününde öğretilen ameli farz. Kur'an'da yüzün üzerinde doğrudan veya dolaylı olarak işaret eden ayet-i kerime var. Müslümanın olmazsa olmazı. İmanın meyvesi. Cennetin anahtarı. Mü'minin miracı. "Allah'ım! Sana inandım ve Seni seviyorum" demenin elle tutulur, gözle görülür somut ifadesi.

"Bana dünyanızdan üç şey sevdirildi" buyuran en Sevgili, "Gözümün nuru kılındı namaz" diyerek sevilmeye değer olanı fısıldadı yolunu izleyenlere. Haber verdi cennete götürecek burağı. Ötelerin ötesine taşıyacak miracı tarif etti sevenlerine. Sıkıldığında, hayat çekilmez olduğunda ve dünyanın omuzlara bindiği anda "Rahatlat bizi ya Bilal, namaza çağır da rahatlayalım" buyurarak huzurun adresini verdi bizlere muhbir-i sadık.

Şeytan ve dostları bütün ordularını toplayıp bizimle savaşa tutuştuğunda onlarla nasıl baş edeceğimizi, Bedir savaşında gözyaşlarıyla sabaha kadar namaz kılıp Rabbinden yardım isteyerek, "Sabırla, namazla Allah'tan yardım isteyin" ayetini nasıl uygulayacağımızı gösterdi en güzel Rehberimiz(sav).

Kurtuluşa erecek olanların ancak namazlarını huşu içinde kılan mü'minler olduğunu öğretti. Bunun nasıl sağlanacağını en güzel kılavuzumuz Efendimizle(sav) gösterdi bizlere.

Namaz Gönülleri Platformu olarak ülkemiz genelinde namazını kılamayan kardeşlerimizi "Namazsızlık Hastalığı"ndan nasıl kurtarabiliriz diye çalışmalara başladık.

Öncelikli olarak namazlarını kılamayan milyonları namazla buluşturmak birinci gayemizdi. Bundan sonra namazlarını kılmaya çalışan bizler nasıl olur da namazlarımızı Rabbimizin tarif ettiği ve Efendimizin⁽ˢᵃᵛ⁾ ikame ettiği gibi huşu ile ikame edebiliriz derdiyle dertlendik. Çözüm yolları aradık. Ve bunların semeresi olan ve ancak namazın inşa ve ihya edeceği altın nesli ortaya çıkarmaktı hedefimiz

Namazsızlık hastalığını tedavi etmek için namaza susamış gönüllere derman olmak adına "Namaz Dirilişe Çağrı" eserimizle "Niçin Namaz Kılacağım?" sorusuna cevap vermeye çalıştık. Elhamdülillah bu satırların yazıldığı günlerde yüz elli birinci baskıya ulaştı. Yüzlerce kardeşimizin namaza başlamasına vesile oldu. Hatta bazı esprilere de konu oldu. "Sakın bu kitabı okumayın. Yan etkisi var; namaza başlatıyor" diye.

Bunun peşinden anne babaların çok önemli bir derdi vardı: "Çocuklarımıza nasıl namaz kıldıracağız? Onlara namaz kıldıramıyoruz. Ciğerparelerimizin namaza isteksiz oluşu bizi perişan ediyor. Yüreğimiz yanıyor." Bu çığlığa kulak verdik. Sadra şifa olur ümidiyle anne babalara kılavuz olsun diye, "Çocuklarımıza Namazı Nasıl Sevdirelim?" isimli eserimizi hazırladık.

Rabbimize binlerce hamdolsun ki anne babalara rehber oldu. Okullarımızda velilere ders kitabı olarak okutuldu. İçindeki projeler hayata geçirildi. Çocuklarımızın namazı sevmesine vesile oldu. Çocuklar namaza koştu. Anne babaların yüzü güldü. Çocuklarımızın seccademizin varisi olması sağlandı. Bize gelen, güzel haber veren mektuplar heyecanımıza heyecan kattı.

Şimdi sıra namazlarını kılan bizler için,

Namazlarımızla miracımıza yükselme yolları nelerdir?

Namazda huşumuza engeller nelerdir?

Bu engelleri nasıl kaldırabiliriz?

Kıldığımız namazlar bize nasıl cennet burağı olur?

Kısacası nasıl bir namaz kılalım ki bizi kurtarsın?

Sorularına elinizdeki bu mütevazı çalışmada cevap aradık. Gayret bizden yardım, destek ve başarı Rabbimizdendir.

Konuları ele alırken ve işlerken kendi nefsimizi de ele alarak işlemeye çalıştık. Sözü önce nefsimize söyledik. Sizler de lütfen kendi nefsinize okuyup hisse almaya gayret edin.

Hep birlikte kendi kusurlarımızı mercek altına alalım. Biz ancak niyet ederek Allah'a yönelişimizle hakiki insan olabiliriz. Biz insan olduğumuz vakit bizi izleyenler de bu yola girecektir.

Bu çalışma sırasında kusurlarımızı net olarak görebilmek için Efendimiz'in(sav) yolunu yolumuz eyledik. Maksadımız En Sevgili'nin namaz sevgisiyle dolmaktı...

Onun gibi oturalım, Onun gibi kalkalım, Onun gibi yiyelim, Onun gibi içelim, Onun gibi şefkatli ve merhametli olalım, Onun gibi muhabbetli, Onun gibi ahlaklı olalım... Velhasıl Onun gibi bir kul olalım...

Namazlarımız bizi meleklerin dahi imrendiği bir kul kılsın. Meleklerin kimisi sürekli kıyamda, kimisi sürekli rükuda, kimisi de sürekli secdededir. Bir bütün olarak namaz kılma ve Rabbimize layıkıyla kul olma şerefini Allah(cc) sadece insana nasip etmiştir.

Bu şerefin kıymetini bilmek için vaktinde ve huşu ile namaz kılmaya azami dikkat etmek gerek...

Bizi cennete taşıyacak namazı aramak için hayat kitabımız Kur'an'ı ve rehberimiz Allah Resulü'nü kendimize kılavuz edindik. Tecrübe sahiplerinin tecrübelerinden istifade ettik. Güzel izler bulduk. Hedefi gördük. Hedefe varmak için izleri takip ettik.

Bu kitapta yazılanlar hakikatlerin biraraya getirilmiş halidir. Bunları yaşarsak inşallah hedefe ulaşmak için üzerimize düşen vazifeyi yani kulluğumuzu yapmış olacağız. Biz kul olduğumuzun farkında olarak acz ve fakrımızla O'na yönelirsek, O da Rabliğini yapacaktır. Biz bir adım atarsak O on adım atacaktır. Biz yürüyerek gidersek O koşarak bize gelecektir.

Rabbimiz yolumuzu açsın. İşimizi kolay kılsın. Yol kesicileri yolumuzdan uzak eylesin. Bizi cennete götürecek namazlara kavuştursun. Amin.

Çalışmamızda bulacağınız güzellikler Rabbimizin ikramı ve ihsanıdır. Hatalar ve kusurlar nefsimizdendir. Kuluz, hatadan uzak değiliz. Okuyan kardeşler tespit ettikleri kusurları bildirirlerse gelecek baskılarda düzeltiriz. Rabbimizden niyazımız, bizleri iyilikte birbiriyle yardımlaşan ve yarışanlardan eylemesi ve bizi her türlü kötülükten korumasıdır.

Ahmet Bulut

Ağustos 2013, İstanbul

Giriş

1. Mü'minler muhakkak felah bulmuş (umduklarına ermişler)dir.

2. Onlar, namazlarında huşu içinde (kalbi ve bedeniyle tam teslimiyet halinde)dirler.

3. Onlar, boş söz (ve iş)lerden yüz çevirirler.

4. Onlar, zekat (vazifesin)i îfa ederler.

5. Onlar, edep yerlerini/iffetlerini korurlar.

6. Sadece eşleri veya ellerinin sahip oldukları (kendi cariyeleri) ile (münasebet) kurarlar. Çünkü onlar (bundan dolayı) kınanmazlar.

7. Kim bu (helal ola)ndan ötesini isterse, işte onlar haddi aşanlardır.

8. Onlar (o mü'minler) ki emanetlerine ve ahitlerine riayet ederler.

9. Onlar ki namazların(ı vaktinde ve gereğince kılmay)a devam ederler.

10. İşte onlar, varis olanların ta kendileridir. Onlar (cennetlerin en yücesi) Firdevs'e varis olacaklardır ki bu mirasçılar, orada ebedî kalacaklardır.[3]

Kur'an, Müslümanın hayat rehberidir. Rabbini tanıtır. Ahireti haber verir. Yol kılavuzu peygamberleriyle tanıştırır. Kulun nereden gelip nereye gittiğini bildirir. Dünya ve ahiret mutluluğunun reçetesini verir. Mü'minun suresinin yukarıdaki ilk ayetleri ideal

---

3   Mü'minun Suresi, 23/ 1-11

mü'minin vasıflarını anlatır. İmanın sözden ibaret olmadığını ve hayata yansıyan pratiklerini örneklerle gösterir. Kurtuluş reçetesini kurtarıcı olan Allah$^{(cc)}$ verir. Kimlerin kurtulacağını somut maddeler halinde bize açıklar. Bu maddeler kıyamet kopuncaya kadar bütün insanlığın değişmeyecek tek reçetesidir.

"Kimler kurtulacak?" sorusunun cevabını, Rabbimizin istediği kriterde iman edenler olarak buluyoruz. "İmanın gereği nedir?" sorusunun cevabı, Kur'an'ın sayfalarındadır. Bu dokuz maddede sayılan şartları taşıyanlara Allah'ın vaadi:

"İşte onlar, varis olanların ta kendileridir. Onlar (cennetlerin en yücesi) Firdevs'e varis olacaklardır ki bu mırasçılar, orada ebedî kalacaklardır."

Hz. Ömer$^{(ra)}$ şöyle buyurmuştur:

"Bu sure indiğinde ben de Hz. Peygamberin$^{(sav)}$ yanındaydım ve Onun durumunu gözlüyordum. Vahiy hali bittiğinde Hz. Peygamber$^{(sav)}$ şöyle buyurdular:

"Şimdi bana on ayet geldi ki, onlara uyan kesinlikle cennete girecektir."

Sonra da surenin başlangıç ayetlerini okudular."[4]

Yüce Rabbimiz kurtuluşun imanla ve onun tezahürü olan namazla başladığını öğretirken, bu namazın "sıradan" bir namaz olmadığını öğreniyoruz.

Aynı surenin dokuzuncu ayetinde ise kurtuluşa erecek, cennete gidecek mü'minlerin namazlarını korudukları bildiriliyor.

Şimdi bu ayetler ışığında kendi namazlarımızı gözden geçirelim. Bu vasıflara sahip miyiz? Rabbimizin vaad ettiği cennete aday mıyız? Önce bunu düşünelim, sonra da kıldığımız namazları ne kadar huşu ile kılabiliyoruz ona bakalım. Kıldığımız namazlar bize dua mı edecek, yoksa bizden şikayetçi mi olacak?

---

4   Ahmet ibn Hanbel, Tirmizi

Bu soruların en doğru cevabını bulmaya çalışırken ölçümüz, kılavuzumuz, mürşidimiz, Efendimiz Hz Muhammed'dir(sav).

Elmalılı Hamdi Yazır Hoca bu surenin tefsirinde huşuyu şöyle tarif ediyor:

"Doğrusu huşu, aslı kalpte, tezahürü bedende olmak üzere ikisini de içinde bulundurur. Kalbe ait tarafı, Rabbin azamet ve celali karşısında kendi küçüklüğünü göstererek nefsi, Hakk'ın emrine baş eğdirip söz dinlettirecek ve edep ve ta'zimden başka bir şeye yönelmeyecek şekilde kalbin son derece saygı hissi duymasıdır. Dış görünüşle ilgili yönü de, vücut organlarında bu duygunun belirlenmesiyle bir sakinlik ve sükunet meydana gelmesi, gözlerin önüne, secde yerine bakıp, sağa sola, şuna buna iltifat etmemesidir."

Mustafa İslamoğlu ise huşuyu, "Akleden kalbin namazına bedenin katılmasıdır." diye tarif eder.

Maun suresinin 4-6. ayetlerinde "Vay haline! (Şöyle) namaz kılanların ki onlar, namazlarından (onun öneminden, gayesinden ve vaktinin geçtiğinden) gafildirler. Hem de onlar, gösterişçidirler. Olmaz olsun onların namazları" diyerek Rabbimiz namaz kılanları tenkit ediyor. Namazı hakkıyla ikame etmeyenleri Rabbimiz tehdit ediyor. Namazın ölçüsünü Rabbimiz bildiriyor. Aksi halde kendi kendimizi avutmuş oluruz.

Allah muhafaza, bir ömür boyu çalışıp ahirette iflas edenlerden olmak da var.

Nice namaz kılan vardır kıldığı namaz kendisine beddua eder: Sen beni nasıl rezil ettiysen, bana gereken önemi vermediysen Allah da seni öylece rezil etsin... Bunun yanında nice namazlar da vardır ki sahibine duacı ve şefaatçi olacaktır. Aradaki farkı belirleyen namazdaki huşudur.

Efendimiz(sav) şöyle buyuruyor:

"Kim güzelce abdest alır, rükuları ve secdeleri tam yaparak hûşu ile vaktinde namazını kılarsa, o namaz bembeyaz, parıl parıl bir şekilde göğe yükselir ve sahibine şöyle der:

"Sen beni nasıl geçirmedin, vaktinde kılarak korudun ise Allah da seni korusun."

Kim ki güzelce abdest almaz, rükuları ve secdelerini hûşu ile yapıp, vaktinde namazını eda etmezse, onun namazı da simsiyah zifiri karanlık halinde göğe çıkarak sahibine şöyle der:

"Sen beni zayi ettiğin gibi Allah da seni zayi etsin!"

Allah'ın dilediği zaman gelince bu tür namazlar, bir eski paçavra gibi dürülüp sarılarak sahibinin suratına çarpılır."⁵

Beğenmediğimiz, yasaksavar kabilinden kılıverdiğimiz, son vaktinde aradan çıkarttığımız ve adeta sırtımızdaki bir yükü atarcasına kıldığımız namazlarımız, bizim cennet burağımız olabilir mi? Rabbimiz böyle namaz kılmaktan seni de beni de korusun, bütün müslüman kardeşlerimizi namazlarını huşu ile kılabilmeyi nasip eylesin.

Her konuda olduğu gibi bu konuda da en güzel örnek Sevgili Peygamberimizdir(sav).

O, "Beni nasıl namaz kılar gördüyseniz siz de öylece kılın." buyurmuyor mu? Elhamdülillah, namaz kılarken şeklen Ona(sav) uymaya gayret ediyoruz. Namazın zahiri şartlarını taklit ediyoruz.

Peki Onun namazdaki huşusunu merak ettik mi?

Kalbî boyutunu modellemek için arayış içine girdik mi? Asıl izlememiz ve tabi olmamız gereken yönü bu değil mi?

Modern dünyanın çocukları olan bizler zarfa kıymet verdiğimiz kadar mazrufa, o zarfın içindekilere kıymet veremiyoruz.

Cennete Götüren Namaz'da Onun(sav) mübarek hadis-i şeriflerini kendimize kılavuz edinerek, Onun ayak izlerini takip etmeye niyet ettik.

---

5   Et-Terğip ve't-Terhib, I, 339

Bu kitabı, namazını huşu ile eda etmek ve onu miracı kılmak isteyen herkes kendi nefsine okumalı.

Ta ki iyiliklerimize sevinirken, hatalarımızı düzeltme yoluna girelim... Ve inşallah bizi cennete taşıyacak namazları keşfedelim.

Huşu ile kılınan namaz mü'mini günah yükünden kurtarır.

Namazın öncesi ve sonrası arasında ciddi bir fark meydana getirir. Ankebut suresi kırk beşinci ayetinde Rabbimizin haber verdiği hakikat tecelli eder. Hakkı verilerek kılınan namaz mü'mini aklın ve dinin yasakladığı her türlü kötülükten arındırır. Şayet arındırmıyorsa, suç namazın hakikatini keşfedemeyen bizlerindir.

Rabbimiz eşkıyayı namazla evliya yapmıştır. Evlat katilini namazla sahabe yapmıştır. Hakkı verilerek kılınan namazlar bugün de aynı sonucu verecektir Allah'ın izniyle.

Günümüzden bir örnekle zihnimizi konuya daha da aşina kılalım:

Yetmişli yıllarda Fransa'ya giden Mahmud Toptaş hocamızın yaşadığı çok güzel ibretlik bir hatıra vardır. Mahmud Hoca Fransa'ya gittiğinde orada yaşayan hemşehrileri hocayı ziyarete gelirler. Hoşbeş faslı bittikten sonra bir sıkıntıları olduğunu anlatırlar ve kendilerine yardımcı olması için ricada bulunurlar.

Mahmud Hoca, "Hele anlatın nedir derdiniz? Biliyorsam söylerim bilmiyorsam araştırırız," der.

Bunun üzerine hemşehrileri sıkıntılarını anlatmaya başlarlar.

"Hocam bizim mahallede bir Fransız Hanım komşumuz var. İslam hakkında baya okumuş. Bize öyle sorular soruyor ki vallahi işin içinden çıkamıyoruz. Kadın dinimizi bizden daha iyi biliyor. Ama öyle sorular soruyor ki kafamız allak bullak oluyor. Öyle zaman geliyor ki inancımızdan şüphe edecek duruma geliyoruz. Bu konuda Rabbim seni bizim imdadımıza gönderdi. Ancak bu kadına gereken cevabı sen verebilir, bizi de bu sıkıntıdan kurtarabilirsin."

İşçi kardeşlerini dinleyen Mahmud Hoca derin düşüncelere dalar. Yıllar önce ülkemizde yaşanan zulümleri düşünür. Allah demenin yasaklandığı, Kur'an okumanın ve okutmanın suç sayıldığı dönem gözünün önüne gelir ve işlenen zulümlerin sonuçları karşısında gözyaşlarını tutamaz. Bir zamanlar üç kıtada Allah'ın dininin hizmetkarlığını yapan bir milletin torunları bugün gurbet diyarında üç kuruşa çalışmak zorunda kalmış ve dininden mahrum yetiştiği için tahrif edilmiş bir dinin mensubu karşısında aciz düşmüştür. Nereden nereye düşmüşüz? Ama ümitsizlik yok. Değil mi ki mü'miniz, öyleyse gelecek adına ümidimiz var.

Derin bir tefekküre daldıktan sonra Mahmud Hoca uykudan uyanırcasına kendine gelir ve onlara bu hanımla kendisini görüştürmelerini ister. Bu duruma çok sevinir işçi kardeşler. Nihayet bekledikleri gün gelmiştir. Mahmud Hoca tecrübeli bir Hocaefendi olduğu için hazırlıklarını yapar. Fransız hanımla görüşmeye giderken yanında Muhammed Hamidullah Hocanın "İslam'a Giriş" isimli kitabının Fransızca orijinalini de götürür. Kısa bir tanışmanın ardından Fransız Hanım yine o bilinen beylik sorularını sormaya başlar. Hocaefendi onu dinledikten sonra şöyle der:

"Senin bütün sorularına Allah'ın izniyle cevap vereceğim. Ama bir şartım var. Öncelikle şu elimdeki kitabı okumanızı istiyorum. Bu kitabı okuyun ondan sonra istediğiniz soruyu sorun," der ve Hamidullah Hoca'nın "İslam'a Giriş" kitabını uzatır. Hanımefendi itiraz eder, "Ben bugüne kadar pek çok kitap okudum. İhtiyacım yok" dese de Hocaefendi taviz vermez. "Bu

kitabı okumazsan seninle görüşemeyeceğim"
der.

Karşısındaki kişinin daha öncekilere pek benzemediğini anlayan Fransız Hanım daha fazla diretmez, "Tamam onu da okuyacağım" der. Ve tekrar buluşacakları günü kararlaştırarak ayrılırlar. İşçi kardeşler bu diyaloga pek anlam veremezler. Merakla gelecek buluşmayı beklerler. Nihayet beklenen gün gelir. Fransız Hanım elindeki kitabı didik didik etmiş, çizmiş, notlar almıştır. Kısa bir hoş beşten sonra ilk sözü heyecanla Fransız Hanım alır: "Hoca, verdiğin kitabı okudum. Bugüne kadar okuduğum kitaplardan çok farklıydı. Yıllardır beynimi kemiren, içinden çıkamadığım birçok sorunun cevabını burada buldum. Müslüman olmaya karar verdim. Fakat hala kendimi ikna edemediğim bir konu var. Eğer ona da bir cevabınız varsa müslüman olacağım" der.

Heyecan iyice yükselir. İşçi kardeşlerin kimi dua eder gizlice, kimi heyecanını gizleyemez tekbir getirir. Hocaefendi kendinden gayet emin ve sakin bir şekilde, "Buyurun sorun" der. Fransız Hanım,

"Dininizde domuz eti yemek harammış. Ben domuz etini de ve mamullerini de çok severim. Eğer buna bir çare varsa tamam müslüman oluyorum"der.

Hocaefendi ne cevap versin! Öyle bir cevap versin ki hem hakikati söylesin, hem de bu hanımın müslüman olmasına vesile olsun. Gerçi hidayet Allah'tandır. Allah dilemedikçe bir yaprak bile kımıldamazken hidayet nasıl olsun?

Hocaefendi şöyle bir düşünür, bu hanımın harama muhatap olmadan önce imana ihtiyacı var. İman eden kullaradır bu emir ve yasaklar. Bunun önceliği iman. Önce iman etsin sonra bu meseleyi konuşuruz, diye düşünürken Ankebut suresinin kırk beşinci ayeti yetişir imdadına. Eğer bu hanım iman eder ve Kur'an'a muhatap olursa Allah'ın izniyle namaz, domuzu kovacaktır. Çünkü Rabbimiz, "Muhakkak namaz aklın ve dinin kabul etmediği her şeyden arındırır" buyuruyor. Öyleyse ya namaz domuzu kovacak ya da domuz namazı. Hak gelince batıl yok olup gider. Nasıl ki güneş doğunca diğer yıldızlar kaybolup gidiyor. Öyleyse ben bu hanıma "Senin önceliğin Rabbimizin varlığı, birliği ve O'nun gönderdiklerini kabul etmendir, domuzu daha sonra görüşürüz" diye düşünür ve içinden geçenleri hanımefendiyle paylaşır.

Fransız hanımın artık hiçbir itirazı yoktur. Nasıl müslüman olacağını sorar. Birlikte kelime-i şehadet getirilir ve Hocaefendi bu hanıma bir de Kur'an'ın Fransızca tercümesini hediye eder. Takıldığı yerlerde istediği zaman soru sorabileceğini de ekler.

Elhamdülillah bir gayri müslim İslam'la nimetlenmiştir.

Aradan çok zaman geçmeden Fransız Hanım tekrar ziyarete gelir ve beklenen müjdeyi verir.

"Sevgili hocam verdiğiniz hayat kitabını okumaya başladım. Okudukça heyecanım arttı. Allah sizden razı olsun. Beni karanlıktan aydınlığa çıkardınız. Ben bizden önce yaşamışların hatasını tekrar etmeyeceğim. Onlar "İşittik, isyan ettik" demişler. Ben, "işittim ve itaat ettim," diyorum. Madem Rabbimiz bize yasaklamış bundan sonra domuz ve ürünlerini asla yemeyeceğim. Beni yaratan beni benden daha iyi bilir. O yasakladıysa mutlaka bir hikmeti vardır. Ben O'na teslim oldum." der.

Örnekte de görüldüğü gibi hakikatiyle huşu ile kılınan namaz, Rabbimizin razı olmayacağı her türlü kötülüğü temizler. Yeter ki biz onu usulünce kılabilelim. Bu konuda onlarca örnek verilebilir ama arif olana bu kadarı kafidir. İsterseniz kendi hayatınızda da bunun birçok örneğini bulabilirsiniz.

Nebevi Reçete

"Hiçbir Müslüman yoktur ki farz bir namazın vakti geldiğinde, o namazı güzel bir abdest alarak huşusuna ve rükusuna dikkat ederek kılsın da büyük günah işlemedikçe, o namaz ondan önceki günahların kefareti olmasın. Bu, her zaman için böyledir."[6]

---

6   Müslim

HUŞU İLE NASIL NAMAZ KILABİLİRİM?

Yediklerine Dikkat Et

Namazlarımızı huşu ile kılabilmek için yediklerimize dikkat etmeliyiz. Haram yemekten şiddetle kaçınmalıyız. Hatta şüpheli olan şeylerden bile sakınmalıyız. Haramdan vücuda giren bir lokma, haram duygu ve düşünceleri besler. Haram lokmanın meydana getireceği bir gram eti ancak cehennem ateşi temizler diye bildirmiş büyüklerimiz. Haram yiyen bir kişinin kırk gün manevi hayatı perişan olur. İbadetlerden lezzet alamaz. Sırtında bir yük gibi olur. Altında ezilir. Duası makbul olmaz.

Namaz nasıl ki kötülüklerden uzaklaştırıyorsa haram lokma da kişiyi ibadetlerden ve özellikle de namazdan uzaklaştırır. Namaz kılmak istiyorum ama bir türlü başlayamıyorum, diyen kardeşlere öncelikle yediklerine dikkat etmelerini tavsiye ediyorum. Neden, haram lokma bu güzel ibadete engel oluyor. Kılsa bile tat alamıyor. Tat alamadığı için de bir müddet sonra namaz aradan çıkartılması gereken bir engele dönüşüyor. Peki çare ne? Öncelikle yediklerimizi gözden geçireceğiz.

Şimdi biraz haram da lokma üzerinde duralım. Yediklerimizin nereden geldiğini gözden geçirelim. Bunun için nereden kazandığımızdan işe başlayalım:

Anne babasının mirasını Rabbinin emrettiği şekilde taksim etmeyen kimse kendi öz kardeşinin hakkına tecavüz etmiş olur. Görünüşte helal olan mirasa haram karışır.

Ülkemizin aşağı yukarı tamamını dolaştım fakat anne babasının mirasını vahyin bildirdiği, Rabbimizin emrettiği şekilde bölüşen kimse neredeyse görmedim. Hiçbir hukuki engel olmamasına rağmen nefsimiz buna razı olmuyor. Camide müslümanız ama miras paylaşımında müslümanca davranamıyoruz.

Camide namazımıza karışan Allah mirasımıza karışamaz mı? Karışıyorsa neden O'nun taksimine razı olmuyoruz?

O'nun taksimi yerine nefsimizin isteklerine uyduğumuzda dengeler alt üst oluyor, kul hakkına giriyoruz.

Kul hakkı...

Haramın ta kendisi...

Böylece kıldığımız namazdan beklediğimiz netice hasıl olamıyor.

Peki zekatı verilmeyen mala ne demeli?

Allah insanı kendi hazinesinden bol bol rızıklandırmış, zengin kılmış. Bu mal mülkle de imtihan ediyor, unutma!

Öncelikle zamanında ve Rabbinin koyduğu ölçüyle vermelisin. Vermezsen bu defa da fakir kardeşinin hakkına girmiş, helal olan malına, ticaretine haram karıştırmış olursun. Ülkemizdeki bilinç eksikliği sebebiyle cahili olduğumuz bir konudur bu da. Burada dikkat edilmesi gereken önemli bir konu da zekatın Miladi takvime göre değil Kameri takvime göre verilmesi gerektiğidir. Biz ibadetlerimizi Kameri takvime göre yaparız. Nasıl ki orucumuzu Ramazan ayında tutuyor, haccımızı Zilhicce ayında yapıyoruz; zekatımızı da Kameri takvime göre vermeliyiz. İki takvim arasındaki zaman farkı sebebiyle otuz üç senede bir zekat vermemiş oluyoruz.

Güncel hayattan başka bir örnek verecek olursak, iş verensin ve işçilerinin maaşını zamanında ödemiyorsun ya da hak ettikleri maaşı vermiyorsun. Bu sefer de seninle beraber çalışan insanların hakkına tecavüz etmiş oldun.

Allah bundan razı olur mu?

İşçinin maaşını zamanında vermeyip onu başka yerlerde kullanırsan hem zulmetmiş hem de helal ticaretine haram karıştırmış olursun. Bundan da uzak durmak gerekir. Allah zalimleri ve kul hakkı yiyenleri sevmez. Kıldıkları namaz onlara fayda vermez. Tövbe edip Allah'a yönelmezlerse bir müddet sonra namazı terk edebilir, sonra da, neden oldu bir türlü aklım almıyor, diye dertlenmeye başlarsın.

Çare çalıştırdıklarımızın hakkını Peygamberimizin ifadesiyle henüz alın terleri kurumadan vereceğiz.

Peki işçiysen ne olacak? Çalışman gereken iş saatinin bir kısmını heba ediyorsan o zaman da patronunun hakkına tecavüz etmiş, aldığın maaşı hak etmemiş olursun.

Mesela namaz kılmak için işveren sana imkan veriyor fakat sen bunu istismar ediyorsan bunun da hesabı var. Mesela evde dört rekatlık bir namazı üç dakikada kılarken iş yerinde on dakikada kılıyorsan, fazladan geçirdiğin zaman kul hakkıdır.

İşte o zaman kıldığımız namaz bizi ötelere taşımaz.

Sebep midemize giren haram lokma.

Rabbim cümlemizi misallerini verdiğimiz ve veremediğimiz her türlü kul hakkından ve haramdan korusun. Amin.

Bütün bu paylaştıklarımızdan sonra faiz yiyen, faizle iş yapan, rüşvet alan ve veren, devlet malını hak etmediği halde kullanan, yiyen ve hırsızlık yapan, vakıf mallarını yiyen ve yetimin hakkına göz diken kimselerde ne namaz kalır, ne din, ne de iman... Allah korusun.

Müslüman bunlardan her halükarda uzak durur. Çünkü o büyük gün vereceği hesabın farkındadır.

Bu satırları okuyunca sakın ümitsizliğe düşme. Sen bildiğinle amel et. Bildiğin haramlardan uzak dur. Bilmeyerek yaptıkların için tevbe et. Bildiğin kul haklarını sahibine öde. Allah(cc) sana bilmediğini öğretecek, daha nice hayır kapıları açacaktır. Helal malın ve kazancın bereketi vardır unutma. Yazılanları uygulayıp test etmeden peşin hüküm verme. Bir dene, kendi nefsinde test et, ondan sonra karar ver. Allah sana yardım edecektir. İmanın tadını alacak, namazın lezzetini yüreğinde hissedeceksin.

Rabbim bunu bizlere ve tüm mü'minlere nasip eylesin.

"Helal lokma isteyen şu beş şeye dikkat etmelidir:

1- Rızık peşinde koşarken Allah'ın farz kıldığı ibadetleri terk etmemelidir.

2- Kazanç için hiç kimseyi üzmemelidir.

3- Çalışmak ile kendisinin ve aile efradının iffetini korumaya niyet etmelidir.

4- Çalışırken kendini haddinden fazla yormamalıdır.

5- Çalışmayı rızık için bir sebep olarak görmeli, fakat rızkı çalışmaktan değil, Allah'tan bilmelidir.

Dikkat et; mide, kişinin dünyalığıdır.

Kişi midesine malik olduğu nispette zahiddir. Midesinin düşkünü olduğu nisbette de dünya kendisine maliktir.

Nur ve kemali artıran helal kazançtan elde edilen lokmadır. İlim ve hikmet, helal lokmadan doğar; aşk ve rikkat, helal lokmadan meydana gelir.

Kemale erenler, ancak midesine gireni kontrol etmekle kemale ermiştir.[7]

---

7   Medine Balcı, Namaz Cenneti, S.541

Kalbine Girenleri Kontrol Et

Midemize girenler maneviyatımızı etkilediği gibi kalbimize girenler de namazımızdaki huşumuzu etkiler. Bunun için kalbimize girenlere dikkat edeceğiz. Gözümüzle gördüklerimiz, kulağımızla dinlediklerimiz, dilimizle söylediklerimiz kalbimizi hasta eder. Sonra da "kalpleri vardır hissetmezler" uyarısının muhatabı oluyoruz. Efendimiz⁽ˢᵃᵛ⁾ gözün harama bakışını şeytanın zehirli oklarından bir ok olarak bildirmiş. Harama her bakışın kalbimize saplanan bir ok olduğunu unutmayacağız. Kalbimizi şeytanın oklarından koruduğumuz nispette maneviyatımız güçlenir ve namazlarımızdan tat almaya başlarız.

Rabbimiz hayat kitabımız Kur'an'da mü'min erkek ve kadınlara gözlerini harama bakmaktan sakınmalarını emreder. Peki bugün bu emri ne kadar hatırlıyor ve yerine getirebiliyoruz?

Allah dostları mecbur kalmadıkça çarşıya pazara çıkmazlarmış. Mecbur kaldıklarında da yalnız başlarına değil birkaç kardeşiyle birlikte çıkarlarmış. Neden? Çünkü bir kişiyi şeytan aldatır, iki kişiyi de kandırır; fakat üç kişiye zarar veremez.

Günümüzde sırf mağazaları gezmek için dolaşan bizlerin vay haline!

Dışarıya çıkmak bugün ateşten bir gömlek giymeye benziyor. Şeytan ve dostları cirit atıyor. Kılık kıyafetler nefisleri tahrik etmek

için tasarlanıyor. Moda denilen bu tuzağa insanlar düşürülüyor. Nefisler şeytanın esiri oluyor. Günahlar çok kolay işlenir hale geliyor. Sonunda günahlara o kadar alışıyoruz ki Allah korusun hiç rahatsızlık vermemeye başlıyor.

En tehlikelisi de günahın günah olduğunu fark etmemek ve ondan rahatsız olmamak.

Diyebilirsin ki dışarı çıkmaya ne gerek var? Dışarıdakilerin fazlası evimizde ve cebimizde mevcut. Haklısın azizim.

Önce "telefisyon kanalizasyonları" çıktı mertlik bozuldu. Telefisyon kelimesini okuyunca yanlış yazıldığını zannettin değil mi? Hayır yanlış değil özellikle öyle yazdım. Maalesef tv.ler bugün insan hayatını "telef" eden en tehlikeli düşman haline geldi. Ülkemizde insanımız günlük beş saati bu telef makinelerinin karşısında geçiriyormuş. Sorarım sana bunların ne kadarı bize fayda veriyor, ne kadarı zarar veriyor?

Hele bir düşün...

Burada heba edilen ömür sermayemiz değil mi?

Ahirette bunun hesabı sorulmayacak mı?

Ömrünü nerede ve nasıl geçirdin?

Gençliğini nerede harcadın, derse bizi Yaratan cevabımız ne olacak?

Elbette hepsi için aynı şeyi söyleyemeyiz. Ama genele baktığımızda durumumuz vahim. İzlediklerimiz duygu ve düşüncelerimize etki ediyor. İzlediklerimiz yaşantımız oluveriyor, farkında mıyız?

Gözümüzden girenler kalbimizi işgal ediyor. Bizim zannettiğimiz kalbimizi düşman orduları işgal ediyor da haberimiz bile olmuyor. Haliyle geriye ne namaz kalıyor ne niyaz.

Şimdiki neslin imtihanı daha da ağırlaştı. Nimetin en güzeli aynı zamanda imtihanın en çetini oluverdi. İletişim çağı başımızı döndürüyor. Bir nimetin şaşkınlığını atlatamadan bir diğeriyle tanışıyoruz. Hayretimiz geçmeden bir yenisi ekleniyor buna.

Hayra kullanıldığında muhteşem bir nimet. Fakat tehlikesi de o nispette büyük. Neden bahsettiğimi anlamışsındır herhalde: İnternet, bilgisayar ve akıllı telefonlar.

Bu nimetlerden ben de faydalanmaya ve onlar aracılığı ile hizmet etmeye çalışıyorum. Nice hayırlara vesile oluyor. Bu nimet sayesinde dünyanın dört bir yanında bizi takip eden ve hizmetlerimizden faydalanan binlerce kardeşimiz var. Birçok program ve konferans teklifini sosyal medyadan alıyorum. Minimum maliyetle maksimum fayda elde edebiliyoruz. Ama hayat sadece bizim gördüklerimizden ve bizim çevremizden ibaret değil. Çevremize bakarak hüküm verirsek aldanırız. Bizim ulaşamadığımız ve şeytanın cirit attığı öyle iğrenç noktalar var ki bizim yapmaya çalıştıklarımızı fazlasıyla alıp götürüyor.

Nerden biliyorsun diyecek olursan bana gelen mail ve telefonlar bunun şahididir. Elektronik şeytan parmaklarımızın ucunda dolaşıyor. Şeytan bize bir tık kadar yakın. Günah işlemek için çok uzaklara gitmeye ve çok masraf etmeye gerek yok. Çok masum çalışmalarımız sırasında bile öyle mayınlarla karşılaşıyoruz ki insanın çıldırası geliyor. İmanımız ve imanımızı besleyecek olan huşu ile kıldığımız namazlarımız ancak bizleri bu bataklıktan koruyabilir.

Kalbimizi bu pisliklerden korumak imanımızı besliyor, imanımızın kuvvetli olması bizi bu bataklıklara düşmekten koruyor.

Öyleyse gelin hep birlikte Rabbimizin nazar ettiği kalbimize pisliklerin girmesine müsaade etmeyelim.

Etmeyelim ki O'ndan gelecek nur kalbimizi pürnur eylesin.

Nurlansın ki ism-i şerifi anıldığında kalbimiz titresin ve imanımız artsın. Ezanı duyduğumuzda Beytullah'ın şubesi olan camilere veya seccademize koşalım. Ve orada sudaki balık gibi hayat bulalım. Tuğyana ve tufana karşı Hz. Nuh'un gemisi gibi namazlarımız bizim kurtuluşumuz olsun.

En değerli noktamız kalbimizi her türlü pislikten koruyarak Efendimizin[sav] namazındaki huşusunu keşfe çıkalım. O[sav] "Kul namaz-

da kiminle sohbet ettiğini bilseydi asla oradan ayrılmak istemezdi"
buyurarak kulaklarımıza hakikati fısıldadı.

Haydi gel, biz de bir gün bu hakikatin şahidi olma niyetiyle yollara düşelim...

Rabbim nasip eyle...

Amin

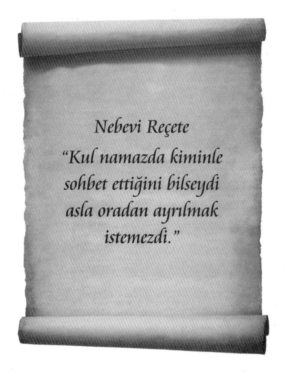

Nebevi Reçete
"Kul namazda kiminle
sohbet ettiğini bilseydi
asla oradan ayrılmak
istemezdi."

Taharetini Güzel Yap

Rabbimiz bize her şeyin en güzelini, en güzel model insanla öğretiyor. Hayatımızın hiçbir karesinde boşluk bırakmıyor. Efendimiz(sav) şöyle buyuruyor: "Beni Rabbim terbiye etti. Terbiyemi ne güzel yaptı." Kendini Rabbinin terbiyesine teslim eden, o terbiye ile edeplenir. Zira edepten mahrum kalan Allah'ın rahmetinden de uzak kalır.

Namazın güzel olması taharetle başlar. Taharetin tam olmaması namaza zarar verir. Hatta namazın kabulüne engel olur. İlmihal kitaplarımızda ayrıntılarıyla anlatılmasına rağmen birçok kardeşimiz okumadığı için bu konuların cahili. Halbuki bunları bilmek her Müslüman erkek ve kadına farzdır.

Erkeklerin tuvalete girdiğinde oturarak büyük veya küçük abdestini bozmaları gerekir. Alafranga ise problem yok. Alaturka tuvaletlerde ayakta abdest bozmak, tuvalet taşından sıçrayan pisliğin elbiseye sıçraması nedeniyle elbiseyi kirletiyor. Avuç içinden fazla miktarda elbiseye bulaşan pislik o elbiseyle namaz kılınmasına mani olur. Çünkü namazın farzlarından biri "Necasetten taharettir." Yani namaz kılacağın elbisenin ve yerin temiz olması gerekir. Bir başka nokta küçük abdest bile bozulsa ihtiyaç giderildikten sonra o uzvun temizlenmesi gerekir. Ayakta bevl eden iyice temizlenmeden tuvaletten ayrılırsa bu sefer de iç çamaşırı pislenecektir. Ayrıca ayakta bevl eden kişi idrar yollarında kalan akıntı iyice temizlenmeden abdest alırsa, namaz kılarken dışarı çıkacağı için abdestsiz namaz kılmış olur.

Abdestsiz kılınan namaz kabul olur mu?

Namazın farzlarından bir diğeri de, "Hadesten taharettir" Yani gusül abdesti almayı gerektiren bir durum varsa, gusül abdesti alacak; eğer abdesti yoksa abdest alacaktır. Kasıtlı olarak abdestsiz namaz kılarsa büyük günah işlemiş olur. Bu konuları ayrıntılı olarak güvenilir bir ilmihal kitabından okumanızı tavsiye ederim.

Büyük abdest bozduğunda tuvalet kağıtı ve suyla temizlenmek en güzelidir. Rabbimiz Medine-i Münevvere'deki Kuba mahallesinin halkını Kur'an'da övmüştür. Sebebi, onların suyla taharetlenmeleridir.

İslamiyet'in 1400 yıl evvel emir buyurduğu temizlik adabını Avrupa 21. yüzyılda hala keşfedemedi.

Avrupa'da yaşayan kardeşlerimin bu hususlara dikkat etmelerini tavsiye ederim.

Nebevi Reçete
"Namazın anahtarı abdest, abdestin anahtarı taharettir."

Abdestini Güzel Al

Hz. Ali[ra] anlatıyor Resulullah[sav] buyurdular ki: "Namazın anahtarı temizliktir."[8]

Huşu içinde namaz kılmak için Efendimizin öğrettiği şekilde abdest almak gerekir. Abdestin tam olması için farzına, sünnetine ve adabına dikkat etmelisin.

Allah alimlerimizden razı olsun, onlara rahmetiyle muamele etsin ve makamlarını cennet eylesin. Bize çok güzel bir miras bıraktılar. Özellikle Eski Diyanet İşleri Başkanlarımızdan Ömer Nasuhi Bilmen Hocamızın "İlmihal"i harikadır ve hala aşılamamıştır. Günlük hayatta lazım olan birçok konuyu en güzel şekilde açıklamıştır. Mutlaka okunmalı. Belki yeni nesle dili ağır gelebilir. Sadeleştirilmiş olanları tercih edilebilir.

Abdestinin tam olması için önce niyet etmeli, temiz suyla ellerini ve yüzünü güzelce yıkamalısın. Kollarını dirseklerinle beraber yıkadıktan sonra başının dörtte birini mesh ederek ayaklarını topuklarla beraber yıkamalısın. Ve en önemlisi bunları mümkün olduğunda peş peşe yapmalısın.

Bunlar farz olan kısmıdır.

Ayrıca ağzı ve burnu suyla güzelce çalkalamak, enseyi ellerin tersiyle mesh etmek ve kulakların içini ve dışını mesh etmek de sünnettir.

---

8   Ebu Davud, Taharet 31

Abdest alırken konuşmaz ve her bir azanı yıkarken dua okursan güzel olur.

Abdestten sonra kelime-i şehadet getirmek ve Kadir suresini okumak da tavsiye edilir.

Farz ve sünnetlerine uygun olarak aldığımız abdestle işlediğimiz günahlardan arınırız. Her azamızdan damlayan suyla, o organımızla işlediğimiz günahlar dökülür. Abdest hem maddi ham de manevi temizliğe sebeptir.

Peygamberimiz(sav) şöyle buyuruyor:

"Hiçbir Müslüman yoktur ki farz bir namazın vakti geldiğinde, o namazı güzel bir abdest alarak huşusuna ve rükusuna dikkat ederek kılsın da büyük günah işlemedikçe, o namaz ondan önceki günahların kefareti olmasın. Bu, her zaman için böyledir."[9]

Abdest aldıktan sonra kerahet vakti değilse iki rekat nafile namaz kılmak güzeldir. Rabbimizin rızasına vesiledir. Buna dikkat eden Bilal-i Habeşi(ra) Efendimizin(sav) iltifatına nail olmuştur.

Peygamber(sav) şöyle buyurmuştur:

"Bir Müslüman güzel bir abdest aldıktan sonra namaz kılarsa Allah bu namazla ondan sonraki namaz arasındaki günahlarını affeder."[10]

Nebevi Reçete

Hz. Aişe(r.anha) anlatıyor:

"Resulullah(sav) abdest alınca, iki rek'at namaz kılar sonra (mescide) giderdi."[11]

9   Müslim
10 Müslim

Niyetin Sağlam Olsun

Ameller niyetlere göre değerlendirilir. Namaza dururken kalben Rabbimizin emrine yönelmemiz gerekir. Asıl niyet kalp ile yapılandır. Dil ile söylenmesi kalbin dağınıklığını toplamak içindir. Bazı kardeşler şeytanın tuzağına düşerek vesveseye kapılıyor. Namaza başlarken tekrar tekrar niyet etmeye çalışıyor. Olmadı zannıyla tekrarlıyor, bu böylece uzayıp gidiyor.

İslamiyet kolaylık dinidir.

Diyelim ki sen sabah namazını kılmak için evden camiye doğru yürüdün. Seni buraya getiren, sabah namazını kılma niyetindi. Alimlerimiz dil yanlış söylese bile asıl olan kalbin niyetidir ve tekrar namazı bozup niyetlenmek gerekmez, demişlerdir.

Niyetimiz Allah rızası için olmalı. Başkasını hoşnut etmek veya gözüne girmek için yapılanların Allah katında hiçbir değeri yoktur.

Rabbimiz ahirette, "Sen bu amelini kim için yaptıysan karşılığını git ondan iste" diyecektir. Özellikle genç kardeşlerin buna dikkat etmelerini rica ederim. Anne baba veya hoca hatırına namaz kılmak size bir fayda sağlamayacaktır. Onların size namazı hatırlatmaları, sizin Rabbimizin rızasını kazanmanızı istemelerindendir.

Bazen de şeytan sağdan yaklaşarak şöyle bir düşünceyle aldatabiliyor: "Ne yani ben anne ve babam için mi namaz kılacağım? Zamanı geldiğinde Allah rızası için namaz kılmak istiyorum."

Aman bu oyuna kanmayalım. Zaman zaman bu tuzağa düşen kardeşlerle de karşılaşıyorum.

Bediüzzaman Hazretleri, niyet hakkında, "Evet niyet âdi bir hareketi ibadete çevirir. Ve gösteriş için yapılan bir ibadeti günaha kalbeder." der.

Niyet, ameli canlandıran bir ruh hükmündedir. Bir amelin, ahiret ameli olması ancak Allah rızası niyetiyle yapılmış olmasına bağlıdır.

Niyet amel açısından çok önemli olduğu halde insanın fıtri duygularının samimiyeti için tam tersi bir etki yapar.

Hz. Üstad bu mevzuyu şöyle izah eder:

"Hayrat ve hasenatın hayatı niyet iledir. Fesadı da ucb, riya ve gösteriş iledir. Ve fıtrî olarak vicdanda şuur ile bizzat hissedilen vicdaniyatın (vicdanî duyguların) esası, ikinci bir şuur ve niyet ile inkıta' bulur (kesilir).

Nasıl ki amellerin hayatı niyet iledir. Onun gibi, niyet bir cihetle fıtrî ahvalin (içten gelen hallerin ölümüdür. Mesela, tevazua niyet onu ifsad eder (bozar). Tekebbüre (kibirlenmeye) niyet onu izale eder (giderir). Feraha niyet onu uçurur. Gam ve kedere niyet onu tahfif eder (hafifleştirir)."[11]

Niyetimizin kalitesi namazımızın kalitesini belirliyor.

Niyetimiz sağlam ve ihlaslı olsun. Namazımız huşu ile dolacaktır.

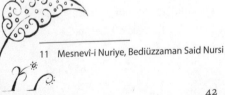

---

11 Mesnevî-i Nuriye, Bediüzzaman Said Nursi

Kıbleye Dön

Namazda kıbleye yönelmek namazın farzlarındandır. Kasıtlı olarak kıbleden başka yere yönelmek namazı geçersiz kılar.

Kıbleye yönelmek, yüzümüzü Beytullah'a çevirmek, Rabbimizin "dön" dediği yere dönmektir.

"Bizden yüzümüzü kıbleye dönmemiz istenirken, kalbimizi her türlü menfi düşünceden arındırıp Rabbimizin emrine yöneltmemiz istenmiyor mu? Kıble bilinciyle bizden beklenen de bu olsa gerek.

Bu zahiri yöneliş, asıl olan batıni yönelişe vesile olması, dağınık haldeki duygularımızın toplanması ve azaların zabt-u rapt altına alınarak kalbe muhalefetini engellemesi içindir.

Kalbin huzuru için bir gayrettir.

Azaların hareketleri kalbi meşgul eder. Olması gereken yerde olamaz. Kalp de onlara uyar. Kişiyi Allah'ın huzurundan uzaklaştırır. Kalbimizin yönü, yüzümüzün yönüyle aynı olmalı.

İnsan yüzünü başka yönlerden çevirmedikçe Beytullah'a yönelmiş olmayacağı gibi kalp de masivadan uzaklaşmadıkça Allah'a dönmüş sayılmaz."[12]

"Kıbleye dönmek, Allah'a yönelip O'nun emrine uymak demektir.

---

12 İmam Gazali, İhya-u Ulûmi'd Din, s. 488

Kıbleye yönelmek; Kabe'ye yönünü döndürmek, istikamet olarak Beytullah'ı seçmek demektir. Kabe'yi kıble edinerek duygu ve düşünceleriyle Allah'a yönelmek, O'nun emrine vermekle istikbal-i kıble gerçekleşmiş olur. Kabe'yi kıble edinenin, tüm varlığı ile kendini Allah'a döndürmesi, diğer yönlere ve kıblelere itibar etmeyip onları reddetmesi gerekir. Çünkü her milletin ve dinin bir kıblesi, herkesin yüzünü döndüreceği bir yönü ve istikameti vardır. Mü'min Allah'ın dinini tanımayanların kıblesine tabi olamaz. Onlar da İslam'ın kıblesine tabi olmazlar."[13]

Rabbimiz bu hakikati şöyle açıklıyor:

"(Resulüm!) Andolsun ki sen, kitap verilen (Yahudi ve Hıristiyan) lara her türlü ayeti (mucize ve delili) getirsen bile (inatlarından) senin kıblene uymazlar. Sen de onların kıblesine uyacak değilsin. Onlar birbirlerinin kıblesine de uymazlar. Andolsun ki eğer sana gelen ilim (vahiy)den sonra onların arzu ve heveslerine uyarsan, mutlaka sen de zalim (hakkı çiğneyip kendisine yazık eden) kimselerden olursun."[14]

Peki namazlarımızda kıbleye yöneldiğimiz gibi hayatımız da kıble merkezli mi?

13 Abdullah Yıldız, Namaz Bir Tevhid Eylemidir, S,78
14 Bakara suresi, 2/ 145

Yaşantımızı yöneldiğimiz kıblemizi Kabe mi belirliyor?

Hayatımızın Kabe kriterleri nelerdir?

Namazda huşuyu keşfedememizin sebeplerinden biri de hayatımızla namazımızın farklı olmasıdır. Namazda Allah ile beraberiz ama namaz dışında haşa Allah yokmuş gibi yaşıyoruz. Allah'ı hayatımıza karıştırmıyoruz. Sosyal hayatımızda, siyasi hayatımızda ve ticaretimizde Allah yokmuş gibi hesaplar yapıyoruz. Böyle olunca kıble sapması oluyor. Kıble sapması olunca da namazımız hayatımıza yansı(ya)mıyor.

Hz. Şuayb'ın örnekliğinde Rabbimizin bize verdiği mesajı günlük hayatımızda bulamıyoruz. Onun namazı hayatında ciddi bir değişim ve dönüşüm meydana getirdiği için kavmi ondan rahatsız olmuş ve tepkilerini şöyle dile getirmişlerdi:

"Ey Şuayb! Atalarımızın taptıkları şeylerden veya mallarımızdan istediğimiz gibi harcamaktan vazgeçmemizi, senin namazın mı emrediyor? Halbuki sen, elbet yumuşak huylu, aklı başında (bir adam)sın."[15]

Bizim namazlarımız bize bir şey söylemiyorsa, suç namazın değil onun hakkını veremeyen bizlerindir.

Namaz öncesi ile namaz sonrasında bizde bir değişim yoksa namazlarımızı tekrar tekrar gözden geçireceğiz.

Hz. Ebubekir'in namazı ve namazda okudukları kavmini etkilemişti. Nicelerinin ilgi odağı olmuştu. Namazdaki huşusu ve kıraati onu seyreden ve dinleyenlerde ciddi etki meydana getirmişti. Bundan rahatsız olan müşrikler onun namazına engel olmaya çalışmışlardı.

Bilindiği üzere Kureyşliler Müslümanlara karşı işi azıtmış, zulmetmeye başlamışlardı. Bilal-i Habeşi, Yemenli Ammar b. Yasir, Suheyb Rumî[ra] gibi erkekler ve Nehdiye, Ümmü Abiys[ra] gibi kadınlar işkencelere maruz kalmışlardı.

---

15   Hud suresi, 87

Resul-i Ekrem, Harem-i Şerifte Rabbine ibadet ederken müşriklerin elebaşlarından Ukbe, üzerine işkembe pisliği atmıştı.

İşkenceler had safhaya ulaştıktan sonra artık Müslümanlar için hicret emri geldi. İlk olarak Habeşistan'a hicret başladı.

Hz. Ebu Bekir⁽ʳᵃ⁾ de hicret için yollara düşmüştü. Yolda İbn-i Dağinne'ye rastladı, Hz. Ebu Bekir'e nereye gittiğini sordu. O da: "Kureyşliler, bana içinde doğup büyüdüğüm yurdumda ikameti haram etti. Ben de terk-i diyar ediyorum. Huzur, hürriyet ve serbestlik içinde Allah'a ibadet edebileceğim bir yere gidiyorum," demişti.

İbn-i Dağinne:

"Sen, hürmete şayan hizmet eder, sözün doğrusunu söyler, yoksullara yardım eder, felaketzedeleri kurtarır, misafirleri ağırlarsın" dedi ve onu geri çevirdi.. Böylece onun Mekke'de kalmasını sağlamıştı.

Kureyşliler de açıktan açığa Kur'an okumaması şartıyla buna razı olmuşlardı.

Hz. Ebu Bekir, evinin içindeki mescidinde ibadete ve Kur'an okumaya devam etmiş, müşrikler, sesinin kadınların ve gençlerin üzerine tesir icra ettiğini, onların da atalarının dinlerinden dönmelerine sebep olduğunu söyleyerek İbn-i Dağinne'ye şikayet etmişlerdi. Bu şekilde müşrikler Kur'an'ın gönüllere girmesine mani olmak için her çareye başvuruyorlardı.

Fakat muvaffak olabiliyorlar mıydı?

Asla...

Vahyin sesi her şeyin üstündeydi. Bizzat Kureyşlilerin uluları, halkı Kur'an dinlemekten vazgeçirmeye çalışırken, kendileri bu kararı tatbik için yeter derecede kuvvet ve azim sahibi değildiler. Çünkü içlerinde şimdiye kadar duymadıkları bu sese karşı bir düşkünlük, bir şevk vardı. Gönüllerinin bu arzusunu yenemiyorlardı.

Üstad Said Nursi'nin namaz hassasiyeti de dönemin siyasilerini tedirgin etmişti. Mecliste namazla ilgili yaptığı tarihi konuşma ve hali dinleyenleri mest etmiş ve namaza başlatmıştı.

Bizim namazlarımız ne zaman bizi zamanın sahabesi ve velisi yapacak?

Bu namazı aramalıyız.

Asr-ı saadetten günümüze güzel örnekleri kendimize model edinmeli ve onların yolunu takip etmeliyiz.

İnşallah onların elde ettiği kemalatı Rabbim bizlere de verecektir.

Tekbiri Anlamaya Çalış

Namaza tekbir ile başlarız. Sözlerin en güzeli ve en büyüğüdür: Allahu Ekber.

Allah(cc) senin büyük zannettiğin her şeyden daha büyüktür.

Büyüklerden bir büyük değil. Eşi ve benzeri olmayan, tek büyük olandır.

Yerlerin ve göklerin yaratıcısı O'dur.

Aklın idrakten aciz olduğu bir büyüktür O.

Aklın şöyledir dediklerinden ötedir.

Kendisini kitabında tarif ettiği gibidir.

Esma ve sıfatlarıyla bildirdiği gibidir.

Rabbimiz şöyle buyuruyor:

"Hiçbir çocuk edinmeyen, mülkünde (hakimiyetinde) ortağı olmayan, acizliği olmadığından dolayı da bir yardımcıya ihtiyacı bulunmayan Allah'a hamdolsun, de ve O'na tekbir getir (büyüklüğünü ilan et)."[16]

"Rabbini tekbir et (büyükle)."[17]

---

16   İsra suresi, 111
17   Müddessir suresi, 3

Dilimiz tekbir getirirken kalbimizin onu yalanlamaması gerekir. Eğer kalbimizde ve zanlarımızda Allah'tan daha büyük kabul ettiğimiz bir şey varsa, o zaman Allah, "Her ne kadar söylediğin doğru olsa da sen tekbir okumakla yalan söylüyorsun" der.

Dilinin söylediğini halin tasdik etmiyor. Münafıkların dilleriyle "Muhammed Allah'ın Resulü'dür" derken kalpleriyle bunu yalanlaması gibi.

Şöyle bir düşünelim, nefsimizin istekleri Rabbimizin isteklerini bastırıyorsa o zaman biz nefsimize tabi oluyoruz demektir. Nefsimize itaat etmiş oluruz.

O zaman da nefsimizi ilah edinmiş ve onu büyük tanımış oluruz. En büyük tehlike de budur.

Bu gerçeği Rabbimiz bize şöyle haber veriyor:

"(Allah'ı ve hükümlerini unutup) hevalarını/ arzu ve heveslerini kendisine ilah edinen kimseyi gördün mü? Artık ona sen mi vekil olacak (da onu koruyacak)sın?"[18]

Heva, vahye karşı gelip Allah'ın Rabliğini (terbiye ediciliğini) kabullenmeyenlerin en büyük putudur. İslam'a uymayan her arzu ve davranış hevadır. Yüce Allah'ı Rab; kendisini yalnızca O'nun kulu olarak tanımayan ve O'nun koyduğu yasaları dışlayıp çiğneyen kişiler, kendi arzu ve heveslerinin kölesi olurlar. Bazen kendilerini yeterli görüp, "Ben sosyal hayatımla ilgili işlerimde "kendi kararlarımı kendim veririm." diyerek hevasını rab durumuna getirir ve başkaları üzerinde hakimiyet kurmaya zorlarlar. Böylece tağûtlaşırlar. Bu durumda birtakım zulümlerin meydana gelmesi kaçınılmazdır.

Hevanın hakim olduğu yerde hayat fesada uğrar. Allahu Teala ise artık bunları kurtaracak bir yardımcı olmadığını bildirmektedir. Aynı zamanda heva ve heveslerine tabi olanların kalbi, daima ıstırap

---

18   Furkan suresi, 43

içindedir. Çünkü vicdan onu ayıplar. Böylece kalbinde ıstırap bulunan kimseler mesut yaşayamazlar.[19]

Efendimiz[sav] namaza duracağı zaman rengi sararır, solarmış. Etrafında sohbet ettiği ashabını tanıyamaz hale gelirmiş. Çünkü az sonra en büyüğün huzuruna duracak. O ana kadar yaptıklarının hesabını verecek.

Hiçbir varlığın üstlenemediği emaneti üstlenmenin ağırlığı altında iki büklüm olurmuş.

Peki ya bizim durumumuz?

Biz namaza bu bilinçle durabiliyor muyuz?

Namaza başlarken Kabe'ye yönelerek tekbir alırız. Bu aynen Hacerü'l Esved'i selamlarken aldığımız tekbir gibidir. Efendimiz[sav] bu selamlamanın hikmetini şöyle izah ediyor:

Hacerü'l Esved, Allah'ın sağ elini temsil eder. Bu selamlamayla insan Allah ile bey'atlaşmış, yani ahitleşmiş olur.

Bu ne demek?

Allah'ım namaz öncesi işlemiş olduğum hatalardan dolayı özür dilerim. Bundan sonra Senin istediğin gibi kul olmaya gayret edeceğim. Bu konuda Sana söz veriyorum.

Bu bilinçle namaza durup tekbir alınca insanda ayakta duracak hal kalır mı?

Rengi sararıp solmaz mı?

---

19   Hasan Tahsin Feyizli, Feyzü'l-Furkan Kur'an-ı Kerim ve Açıklamalı Meali

Bir başka bakışaçısıyla Efendimiz⁽ˢᵃᵛ⁾ "Kul namazda kiminle sohbet ettiğini bilseydi asla terk etmek istemezdi." buyuruyor. Yaratan ile yaratılan arasındaki sohbet ne muhteşem bir haldir.

Bu sırra vakıf olunca namaz bitsin istemez kul.

İşte Fatiha'yı okurken bu hali anlatıyor Efendimiz⁽ˢᵃᵛ⁾. Fatiha suresini okurken kişi Rabbiyle konuşur.

> Fatiha hakkında bir hadis-i kudside şöyle buyrulmuştur:
>
> "Namazı kulumla aramda ikiye ayırdım. Bir yarısı benimdir, diğer yarısı kulumundur. Kuluma istediği verilecektir.
>
> Kul: "Hamd alemlerin Rabbi Allah'adır" dediği zaman,
>
> Allah: "Kulum bana hamdetti" der.
>
> Kul: "Rahman ve Rahim olan..." dediği zaman
>
> Allah: "Kulum bana senada bulundu" der.
>
> Kul: "Din gününün maliki" dediği zaman,
>
> Allah: "Kulum beni yüceltti" der.
>
> Kul: "Ancak Sana kulluk eder, ancak Senden yardım dileriz" dediği zaman,
>
> Allah: "Bu benimle kulum arasında iki yarıdır. Kuluma istediği vardır" der.
>
> Kul: "Bizi doğru yola ilet. Nimet verdiğin kimselerin yoluna. Kendilerine gazab edilmiş olanların ve sapmışların yoluna değil" dediği zaman
>
> Allah: "Bunlar kulumundur, kuluma istediği verilecektir" der."[20]

---

20   Müslim, Ebu Davud

Namazını İhlasla Kılmaya Çalış

Bütün amellerin kabulünün şartı ihlastır. İhlassız yapılan amellerin Allah katında hiçbir değeri yoktur. Ahirette sahibinin yüzüne çarpılacaktır.

Konuyla alakalı güzel bir söz vardır:

"İnsanlar helak oldu alimler müstesna. Alimler helak oldu, ilmiyle amel edenler müstesna. İlmiyle amel edenler de helak oldu, ihlasla amel edenler müstesna."

Namazı sadece Allah için kılacağız. O'ndan başkasını gözetmek namazı ifsad eder. Ahirette eli boş kalanlardan, iflas edenlerden oluruz.

Üç sınıf insanın yaptığı çok önemli amelleri Rabbimiz ahirette yüzüne çarpacağını haber veriyor. Görünüşte çok güzel işler olmasına rağmen sahibini cehenneme sürükleyecek.

Niyetin ahirette nasıl önem kazanacağını gösteren meşhur bir hadis de şu şekildedir:

"Kıyamet gününde ilk defa bir şehit hakkında hüküm verilecek. Allah Teala ona ne yaptığını sorduğunda:

"Senin uğrunda çarpıştım, şehit edildim," diyecek. Fakat Cenab-ı Hak ona:

"Yalan söyledin. Sana cesur adam desinler diye çarpıştın," buyuracak ve o adam yüzüstü sürüklenerek cehenneme atılacak.

Daha sonra ilim öğrenip öğreten ve Kur'an okuyan bir kimse getirilecek. Ona da yaptığı sorulacak.

"İlim öğrendim ve öğrettim. Senin rızanı kazanmak için Kur'an okudum," diyecek. Allah Teala ona:

"Yalan söyledin. İlmi, sana alim desinler diye öğrendin. Kur'an'ı ise, güzel okuyor, desinler diye okudun. Nitekim öyle de denildi," buyrulacak o adam da yüzüstü sürüklenerek cehenneme atılacak.

Sonra da zengin bir adam getirilecek. O da malını Allah rızası için harcadığını söyleyecek. Allah(cc) ona da:

"Yalan söyledin. Malını cömert adam desinler diye sarf ettin diyecek ve o da diğerleri gibi cehenneme atılacak."[21]

"İhlas, ferdin, ibadet-ü taatinde Cenab-ı Hakk'ın emir, istek ve ihsanlarının dışında her şeye karşı kapanması...

Abd ve Ma'bud münasebetlerinde sır tutucu olması...

Yaptığı işleri Hakk'ın teftişine arz mülahazasıyla yapması...

Başka bir deyişle vazife ve sorumluluklarını O emrettiği için yerine getirmesi, yerine getirirken de O'nun hoşnutluğunu hedeflemesi ve O'nun uhrevi teveccühlerine yönelmesinden ibarettir ki, saflardan saf sadıkların en önemli vasıflarından biri sayılır.

İhlas, Allah tarafından temiz kalplere bahşedilmiş, azları çok eden, sığ şeyleri derinleştiren ve sınırlı ibadet ü taati sınırsızlaştıran öyle sihirli bir kredidir ki, insan onunla dünya ve ukba pazarlarında en pahalı nesnelere talip olabilir ve onun sayesinde alemin sürüm sürüm olduğu yerlerde hep elden ele dolaşır. İhlasın bu sırlı gücünden dolayı Efendimiz(sav), "Dini hayatında ihlaslı ol, az amel yeter" buyurur ve "Her zaman amellerinizde ihlası gözetin, zira Allah, sadece amelin halis olanını kabul eder" diyerek amellerin ihlas yörüngeli olmasına tembihte bulunur.

---

21 Müslim, İmare, 152

İhlas, kul ile Ma'bud arasında bir sırdır ve bu sırrı Allah, sevdiklerinin kalbine koymuştur."[22]

Namaz, Allah'ım en çok sadece seni seviyorum demenin kula en güzel yakışan ifade şeklidir. Aşığın maşukuna kavuşmasıdır. Sohbetidir. O'nunla arasına başkaca bir şey karıştırmaz vesselam.

"(Ey Resulüm!) Şüphesiz biz, bu Kitab'ı sana hak/gerçek olarak indirdik. O halde Allah'a, O'nun dinine ihlasl(a gönülden bağl)ı olarak kulluk et."[23]

xx

"De ki: 'Ben, dini yalnız Allah'a halis kılarak (ihlasla) O'na kulluk etmemle emredildim.' "[24]

xx

"De ki: 'Ben, dinimi Allah'a halis kılarak (ihlaslı olarak) yalnız O'na kulluk ederim.' "[25]

---

22 Ali Ünal, Kur'an'da Temel Kavramlar, s. 442, 443
23 Zümer suresi, 2
24 Zümer suresi, 11
25 Zümer suresi, 14

Namazlarını İhsan Makamında Kılmaya Gayret Et

Her ibadetimizde olduğu gibi namazlarımızı da Allah'ı görür gibi ikame etmemiz temel hedefimiz olmalı. Her ne kadar biz O'nu göremesek de O bizi görüyor.

Efendimiz(sav) "Şu iki şeyi hiç unutmayın. Bir ölüm. İki yaptığın her işte Allah razı mı değil mi? " diyerek hayat prensibimizi bizlere öğretiyor.

Bu bilinçle yaşadığımız sürece zamanımızın güzel insanlarından biri oluruz.

Namazımız kaliteli olur.

Bizi süfli alemden ulvi aleme taşır.

Nefse kul olmaktan kurtarır; yalnız alemlerin Rabbine kul eder.

Bu da bir iki namaz kılmakla elde edilemez. Biz çok aceleciyiz. Hemen hedefe ulaşalım istiyoruz. Allah dilerse, ikram ederse elbette kısa sürede de olabilir. Fakat bir maratoncu zaferi elde edebilmek için ne kadar uzun süre yılmadan ısrarla çalışıyorsa, biz de aynı sabır, gayret ve heyecanla Efendimizin(sav) ve sahabesinin kıldığı namazlar gibi namaz kılma niyetiyle çalışacağız.

Niyet edip gerekli gayreti gösterdikten sonra Rabbimiz ikram edecektir. Şüphesiz ki Kerim-i Mutlak olan Allah ikram etmeyi çok sever.

Sırtında su taşıyan karıncaya, "Nereye gidiyorsun?" diye sorduklarında,

"Duydum ki Nemrud, Hz. İbrahim'i yakmak için büyük bir ateş tutuşturmuş. İşte o ateşi söndürmek için koşuyorum." demiş.

"Yahu o cehennemi andıran ateşe karşı senin bir damla suyun ne yapabilir ki?" dediklerinde,

"Olsun! Hiç olmazsa dostluğum belli olsun," cevabını vermiş.

Biz niyetimizi ve kararımızı ortaya koymalıyız. Rabbimiz kullarına karşı çok şefkatli, merhametli ve çömerttir. Yeter ki bizler ciddi bir niyetle O'na yönelelim ve irademizin hakkını verelim.

Ayrıca niyet ettiği andan itibaren ona ecrini verecektir. Hayrı düşündüğü anda ona sevap yazılmaya başlar, uyguladığı zaman ihlasına göre sevaplar katlanarak devam eder. Büyükler ne güzel söylemiş, "Sen kulluğunu iyi yap, O Rabliğini iyi yapar."

Hz. Ömer(ra)anlatıyor:

"Bir gün Hz. Peygamber'le(sav) birlikte oturuyorduk. Hiçbirimizin tanımadığı, beyaz elbiseli, siyah saçlı, güzel kokulu, yoldan gelmiş gibi bir hali olmayan birisi çıkageldi. Efendimiz'in huzuruna kadar geldi, edeple önüne oturdu, ellerini dizlerinin üzerine koydu ve:

"Ya Muhammed, bana İslam'ın ne olduğunu anlat," dedi.

Allah Resulü(sav),

"İslam, Allah'tan başka ilah bulunmadığına ve Muhammed'in O'nun peygamberi olduğuna inanman, namazı dosdoğru kılman, zekatı vermen, Ramazan orucunu tutman ve gücün yetiyorsa Allah'ın evini ziyaret edip hac yapmandır, diye cevap verdi. O kişi:

"Doğru söyledin," dedi.

Biz onun bu tutumuna hayret ettik. Zira hem soruyor, hem de Allah Resulü'nü tasdik ediyordu. Gelen zat sonra: "Bana imandan haber ver," dedi.

Allah Resulü(sav);

"İman, Allah'a, O'nun meleklerine, kitaplarına, peygamberlerine, ahiret gününe, hayır ve şerrin bir kaderle meydana geldiğine inanmandır," diye cevap verdi.

O kişi;

"Doğru söyledin," dedi ve sonra:

"Bana ihsanı anlatır mısın," diye sordu.

Allah Resulü[(sav)];

"İhsan, Allah'ı görüyor gibi O'na ibadet etmendir. Sen O'nu görmüyorsan da O seni görmektedir," buyurdu.

Gelen zat:

"Bana kıyametin ne zaman kopacağını haber verir misin," diye sordu.

Allah Resulü[(sav)]:

"Bu konuda soru sorulan kişi sorandan daha bilgili değildir," buyurdu.

Gelen zat:

"O halde onun belirtilerinden haber ver," dedi.

Allah Resulü[(sav)], kıyametin bazı alametlerinden haber verdikten sonra o kişi kalktı, cemaatin içine girdi ve bir anda gözden kayboldu.

Bir müddet sonra Allah Resulü[(sav)] bana dönerek:

"Ömer, soru soranın kim olduğunu biliyor musun," diye sordu. Ben:

"Allah ve Resulü daha iyi bilir," dedim. O zaman buyurdu ki:

"O Cebrail idi. Size dininizi öğretmeye gelmişti..."[26]

---

26 Buhari, Müslim, Ebu Davud, Tirmizi, İbn Mace

Rabbimiz Kelam-ı Kadim'inde bizi görmekte olduğunu birçok yerde hatırlatır bizlere. İşte onlardan birkaçı:

"Onlar, (Allah rızasını kazanmada ve fazilette) Allah katında derece derecedirler. Allah, onların yaptıklarını görmektedir."[27]

***

"Kim (yalnız) dünya mükafatını isterse, (bilsin ki) dünya ve ahiret mükafatı Allah katındadır. Allah (her şeyi) hakkıyla işiten ve görendir."[28]

***

"Namazı dosdoğru kılın; zekatı verin; hayır (işler)den kendiniz için önden ne (yapıp) gönderirseniz, Allah katında onu bulacaksınız. Allah yaptıklarınızı şüphesiz görendir."[29]

Allah[cc] her yerde, her mekanda ve her zaman bizi görüyor, biliyor ve işitiyor. Bu bilince sahip olabilmektir asıl marifet. Sufilerin en çok üzerinde durduğu konudur bu. Her an Allah[cc] görüyor bilinciyle yaşamak. Bu bilince sahip olan kişinin namazı da çok farklı olur. Huzurda olmanın heyecanı içindedirler. Korkuyla ümit arasında bir hal bürür tüm bedenlerini. Ve bu coşkuyla kılarlar namazlarını. Böyle kılınan namazın sonucu da çok farklı olur.

Efendimiz[sav] bunu şu şekilde haber veriyor:

Ammar b. Yasir[ra] anlatıyor: "Resulullah[sav] buyurdular ki:

"Kişi vardır, namazını kılar bitirir de, kendisine namazın sevabının onda biri yazılır. Kişi vardır, dokuzda biri, sekizde biri, yedide biri, altıda biri, beşte biri, dörtte biri, üçte biri yarısı yazılır."[30]

---

27   Al-i İmran suresi, 163
28   Nisa suresi, 134
29   Bakara suresi, 110
30   Ebu Davud, Salat 128

59

Bizim halimizi anlatması bakımından güzel bir menkıbe vardır. Yeri gelmişken burada paylaşalım. İbret alarak ihsan makamında namaz kılmanın derdine düşelim.

Harun Reşid'in sütkardeşi Behlül Dânâ bir tezgah kurmuş pazarda karpuz kavun satıyormuş. Akşam olmuş, tezgahını toplayıp kalan meyveleri de sırtındaki küfeye koymuş. Sonra sırtındaki küfe ile namaza durmuş. Her secdeye eğildiğinde kavun karpuzlar bir tarafa yuvarlanıyormuş. Behlül Dana namazın ortasında caminin sağından solundan bunları toplayıp tekrar küfesine koyuyormuş. Namazdan sonra demişler ki:

"Ya Behlül sen ne yaptın? Namaz mı kıldın, kavun karpuz mu topladın? Caminin sağında solunda dolaştın durdun."

Behlül Dânâ onlara şöyle cevap vermiş:

"Dua edin ben caminin içini dolaştım, ya siz nereleri dolaştınız? Kiminiz Bağdat'ın falan çarşısındaydınız, kiminiz filan yerde geziyordunuz."

Demek ki namazdayken aklımız sağda solda olmayacak. Kıldığımız namaz huşu içerisinde olacak.

Kıldığın Her Namazı Son Namazın Bil

Kıldığımız her namazı son namazımız gibi kılmalıyız. Çünkü gelecek vakte kavuşmaya garantimiz yok. Kavuşsak bile onu güzel kılma garantimiz yok. Hangi dünyevi meşgale bizi meşgul edecek bilemiyoruz.

Büyüklerin dediği gibi "Dün geçmiştir. Yarına kavuşacağımızın garantisi yok."

Yaşadığımız anın kıymetini bilmeli ve kavuştuğumuz vaktin namazını layıkıyla eda etmenin derdine düşmeliyiz. Derdimiz bu olursa Rabbimiz de bizi bu hal üzere huzuruna alır inşallah.

"Nasıl yaşarsanız öyle ölürsünüz" diye haber veriyor sözü en güzel söyleyen Efendimiz(sav).

Şimdi bize deseler ki az sonra öleceksin. Bu senin kılacağın son namazın. Rabbimize kavuşacağımız vaktin son namazını nasıl kılarsak her vakti de böyle bilmeli ve o bilinçle kılmaya çalışmalıyız.

Namaza dururken tekbirle birlikte ellerimizi de kaldırırız. Yüceler yücesi Rabbimizi tekbirle yüceltirken dünyayı da elimizin tersiyle arkaya atarız. Sözümüzü fiilimizle onaylarız. Alçak olan dünyadan benliğimizi kurtarır, uhrevi aleme doğru yolculuğa çıkarız. Aslında her namaz bizim için bir miraç fırsatıdır. Efendimize(sav) miraçda verilenleri elde etme fırsatıdır. Huzura yükseliş ve kabul edilişir.

Namazda bizi dünyaya bağlayan bütün bağları koparma anıdır. Bu bağlardan kurtulduğumuz oranda gerçek hürriyete kavuşuruz.

Kalbimizi Allah'tan başka her şeyden temizleme vaktidir. Arınma fırsatıdır. Bize faydası olmayacak fazlalıkları atmalıyız.

Rabbimiz bizi uyarıyor:

"(Gece gündüz) Rabbinin ismini an ve (ibadet için) her şeyden (masivadan/dünya sevgisinden) kesilerek O'na dön."[31]

***

"De ki: "Eğer babalarınız, oğullarınız, kardeşleriniz, eşleriniz, kabileniz, kazandığınız mallar, durgun gitmesinden korktuğunuz bir ticaret ve hoşlandığınız evler, size Allah'tan, Resulü'nden ve O'nun yolundaki cihaddan daha sevimli ise, artık Allah'ın (azap) emri gelinceye kadar bekleyin. Allah, fasıklar toplumunu doğru yola eriştirmez."[32]

Yaratan yarattığını en iyi bilendir. Bizi bizden daha iyi bildiği için bizi meşgul edecek şeylerin misalini veriyor ayet-i kerimede. Bunlardan sıyrılarak Rabbimize yöneldiğimiz oranda huşu ile namaz kılabiliriz. Kalıbımız seccadenin üzerindeyken aklımız aşımızda, eşimizde ve işimizde olursa o akılla kılınan namaz da o kadar olur. Duygu ve düşüncemiz kadar namazdan nasibimizi alırız.

Gönül sarayını sarayın sahibine hazır hale getirmeliyiz. "Padişah konmaz saraya, hane mamur olmadıkça" dermiş eskiler. Başbakan geleceği zaman gideceği yerin belediyesi günler öncesinden temizliğe başlıyor. Her taraf pırıl pırıl ediliyor. Gerekli temizlik yapıldıktan sonra çevre düzenlemesiyle o mekanlar daha görkemli hale getiriliyor.

Biz de gönül sarayımızı Allah'tan başka her şeyden temizleyip tevbe suyuyla yıkamalıyız. Namaza durduğumuzda bütün alıcılarımızı açmalı ve Rabbimizden geleceklere hazır olmalıyız. Okuduğumuz her ayet dilimizden çıkarken yüreğimize dokunmalı, hücrelerimiz harekete geçmeli, gözlerimiz duygularımızın şahidi olmalı; o namaz bizi diriltmeli ve diri tutmalı.

---

31 Müzzemmil suresi, 8
32 Tevbe suresi, 24

Okuduğumuz ayetler yolumuzu aydınlatmalı. Kalbimize cila ve aklımıza nur olmalı.

Bizden önce bu güzellikleri yaşayan büyüklerimiz bizim rehberimizdir. Olabileceğinin misalidir. Allah kullarına ikram edicidir. Yeter ki kul istesin ve istemesini bilsin.

Bugüne kadar O'ndan ne istedik de vermedi? Hem de hiç layık olmadığımız halde.

Bu yolda mesafe almış büyüklerimizden birinin hikayesini paylaşmak bize rehber olacaktır. Onun yaptıklarını uygulayabilirsek sonuç almamızda yardım edecektir.

Usam bin Yusuf Hazretleri, Hatim-i Esam hazretlerinin mescidine geldi. Hatim-i Esam'a sordu:

"Siz namazı nasıl kılarsınız?"

"Namaz vakti gelince, hem zahiren hem de batınen abdest alırım."

"Bu iki abdest, nasıl olur?"

"Zahiri abdest, belli organlarımı su ile yıkarım. Batını abdeste gelince, organlarımı tevbe, pişmanlık ile; dünya ve baş olma sevgisi, mahlukun övmesini, kin ve hasedi terk etmek suretiyle yıkarım.

Kabe'yi gözümün önünde tutarım, Allah-u Teala'nın beni gördüğünü düşünürüm. Cenneti sağımda, Cehennemi solumda, Azrail'i[(as)] arkamda hayal edip ayağımı Sırat Köprüsü'ne koyduğumu düşünürüm. Ve kıldığım son namaz olduğunu kabul ederim.

Sonra niyet eder, tekbir alırım. Ayetleri tefekkür ederek okurum. Tevazu ile rükuya giderim. Tazarru ve yakarma halinde secde ederim.Ümit ile teşehhüdde otururum. İhlas ile selam veririm."

63

Bu hale bürünmek zordur ama imkansız değildir. Niceleri bunu başarmıştır. Yapmamız gereken bizi tutan bağlardan kurtulmaktır. Özgürlüğü secdede aramak, Rabbimizin huzurunda eğildikçe yükseleceğimiz şuuruna varmaktır. [33]

Nebevi Reçete

"Namaz kıldığında dünyaya veda eden kişinin namazı gibi namaz kıl."[33]

---

33 İbn-i Mace

Ta'dil-i Erkan'a Dikkat Ederek Namaz Kıl

Namaz kılarken acele etmek namazın katilidir. Namazdan elde edeceğimiz feyiz ve bereketi kaçırır. Rabbimizin rızasını elde etmeye engeldir.

Ta'dil-i erkan, namaz kılarken acele etmeden herbir rüknün hakkını vere vere, Efendimizin(sav) kıldığı gibi şekil şartlarını yerine getirerek kılmaktır. Mesela kıyamdayken herhangi bir mazeretimiz yoksa dimdik ayakta durmak ve sadece secde edeceğimiz yere bakmaktır. Rükudayken baş ve sırtın dümdüz bir şekilde olması ve ellerin dizlere kadar uzanması, diz kapaklarını kavramak ve böylece burada vücudun sükunet bulmasıdır.

Rükudan doğrulduğunda acele etmeden iyice doğrulmak ve vücudun sakinleşmesi için hiç olmazsa bir defa "Sübhanallahi'l azim" diyecek kadar beklemektir. Secdedeyken iki elini yere paralel bir şekilde alnı ve burnu ellerinin arasına gelecek şekilde yere koymak ve iki diz ve parmak uçları da kıbleye gelecek şekilde yere koymaktır. Bu haldeyken vücudun sakinleşmesi ve en az "Sübhanallahi'l azim" diyecek kadar beklemektir. Yine iki secde arasında otururken vücudun sakinleşeceği kadar oturmak ve en az "Sübhanallahi'l azim" diyecek kadar beklemektir.

Konuyla ilgili Efendimizin(sav) uyarısına bakar mısınız?

سُبْحَانَ اللهِ الْعَظِيم

Ebu Mes'ud el-Bedri[ra] anlatıyor: "Resulullah[sav] buyurdular ki: "Sizden biri, rüku ve secdelerde belini (tam olarak) doğrultmadıkça namazı yeterli olmaz."[34]

Namazda ta'dil-i erkana dikkat etmek çok önemlidir. Namazın kabulünün şartlarındandır. Buna dikkat etmemek namazın kabulüne engeldir. Mezhep imamlarımız bu konuda açık ve net bilgiler vermişlerdir. Hanefi mezhebine göre ta'dil-i erkan vaciptir. Bu şarta dikkat etmeyenlerin Hanefi mezhebine göre sehiv secdesi yaparak namazını tamamlaması gerekir.

Hanefi mezhebinden İmam Ebu Yusuf'a ve diğer Şafii, Hanbeli ve Maliki mezhebine göre ta'dil-i erkan farzdır. Yerine getirilmediği takdirde namaz eksiktir; tekrar kılınması gerekir. Hanefi mezhebine

---

34 Ebu Davud, Salat 148; Tirmizi, Salat 196

mensup olsa bile kişinin diğer üç imamın görüşüne dikkat ederek namazını tekrar kılması daha doğrudur.

Ülkemizde bu konu ya yeterince anlatılmıyor ya da nefsimize uyarak kendi bildiğimizi yapar hale gelmişiz. Hele de teravih namazlarında tam bir cinayet işleniyor. Acele edeceğiz diyerek her şey birbirine karışıyor. Namaz mı kılınıyor yoksa antreman mı yapılıyor belli değil.

Bu şekilde kıldığımız namaz yarın mahşer gününde bizim yüzümüze çarpılacak ve bizden davacı olacaktır.

Namaz kılan Allah'ın bahtiyar kulu seni namazda koşturan nedir?

Arkanda düşman ordusu mu var?

Kimin huzurundasın hiç düşündün mü?

İnsan sevdiğinin huzurundan ve sohbetinden kaçar mı?

Kaçarsa ona sevgili denir mi?

Kulun Rabbine en yakın olduğu yer secde mahallidir. Orada tesbihini çoğaltmalı, dua etmeli ve yalnızca Rabbinden istemelidir. Asla acele etmemelidir.

Özellikle hacca ve umreye giden kardeşlerimiz orada çok şaşırıyorlar. Haremeyn'de ülkemizde olduğu gibi koşarcasına namaz kılınmaz. Her rüknün hakkı verilir. Rükuda ve secdede tesbihler çokça söylenir. Rükudan sonra ve iki secde arasında fazlaca beklenir. İlk defa gidenler otomatik olarak hareket ederler ve imamdan önce kalkmaya teşebbüs ederler. Fakat imamdan bir ses çıkmayınca yine bulundukları hale döner ve bu hale şaşırırlar.

Doğru olan Haremeyn'de yapılandır. Fakat yanlış yapa yapa yanlışa o kadar alışmışız ki kendi yaptığımız yanlışı doğru kabul etmişiz.

Kitaba uymak yerine, namazı kendi kitabımıza uydurur hale gelmişiz.

Rüku, secde ve kıyamın hakkını hakkını vermediğimizde kendi namazımızın hırsızı olduğumuzun farkında mıyız?

Namaz hırsızı da mı olur, diyebilirsiniz. Evet, ta'dil-i erkan ile kılınmayan her namazdan çalınmıştır. Hırsızlık bakımından insanların en şerlisi oluruz. Bunu da nereden çıkarıyorsun diyen kardeşlere işte Efendimizin(sav) uyarısı:

Nu'man İbn Mürre(ra) anlatıyor:

"Resulullah(sav): "İçki içen, zina yapan ve hırsızlıkta bulunan kimse hakkında ne dersiniz?" diye sordu. Bu sual, bunlar hakkında henüz hadd cezası gelmeden önce sorulmuştu.

"Allah ve Resülü daha iyi bilir!" diye cevap verdiler.

Aleyhissalatu Vesselam Efendimiz:

"Bu fiiller ağır suçtur, onlar hakkında ceza vardır. Hırsızlığın en kötüsü de namazını çalmaktır" buyurdu.

Bunun üzerine:

"Ya Resulallah, kişi namazını nasıl çalar?" diye sordular. Şu cevabı verdi:

"Rükusunu ve secdelerini tamamlamaz."[35]

Namazla huzura kabul edilen aziz kardeşim sen asla namazda acele etme. Kiminle birlikte olduğunu düşün. Bulunduğun hali en çok seven ve sevilen en Sevgili(sav) ne haldeydi hele bir düşün. Orada ne gözyaşları dökmüştü. Ah oranın tadını bir keşfetsek bir daha kalkmak istemeyiz. Yunus'un diliyle "Ballar balını buldum, kovanım yağma olsun" deriz.

Rabbimiz mekandan ve zamandan münezzehtir. Ama O şöyle buyuruyor:

"Sakın, (seni ibadet ve taatten men edene korkup) boyun eğme; (Allah'a) secde et ve (böylece başkalarına kulluktan kurtulup O'na) yaklaş."[36]

---

35 Muvatta, Kasru's-Salat 72
36 Alak suresi, 19

Konu ile alakalı Efendimiz(sav) ve bir sahabe arasında yaşanan olayı burada paylaşmak, konuyu iyice anlamamıza yardımcı olacaktır.

Rifaa İbnu Rafi'(ra) anlatıyor:

"Biz mescidde iken bedevi kılıklı bir adam çıkageldi. Namaza durup, hafif bir şekilde (yani rükünleri, tesbihleri kısa tutarak) namaz kıldı. Sonra namazı tamamlayıp Resulullah'a selam verdi. Efendimiz(sav):

"Üzerine olsun. Ancak git namaz kıl, sen namaz kılmadın!" buyurdu. Adam döndü (tekrar) namaz kılıp geldi, Resulullah'a selam verdi. Aleyhissalatu vesselam selamına mukabele etti ve:

"Dön namaz kıl, zira sen namaz kılmadın!" dedi.

Adam bu şekilde iki veya üç sefer aynı şeyi yaptı, her seferinde Aleyhisselatu vesselam:

"Dön namaz kıl, zira sen namaz kılmadın!" dedi. Halk korktu ve namazı hafif kılan kimsenin namaz kılmamış sayılması herkese pek ağır geldi. Adam sonuncu sefer:

"Ben bir insanım isabet de ederim, hata da yaparım. Bana (hatamı) göster, doğruyu öğret!" dedi.

Aleyhissalatu vesselam:

"Tamam. Namaza kalkınca önce Allah'ın sana emrettiği şekilde abdest al. Sonra (ezan okuyarak) şehadet getir. İkamet getir (namaza dur). Ezberinde Kur'an varsa oku, yoksa Allah'a hamdet, tekbir getir, tehlil getir, sonra rükuya git. Rüku halinde itmi'nana er (azaların rükuda mu'tedil halde bir müddet dursun). Sonra kalk ve kıyam halinde i'tidale er, sonra secdeye git ve secde halinde i'tidale er, sonra otur ve bir müddet oturuş vaziyetinde dur, sonra kalk. İşte bu söylenenleri yaparsan namazını mükemmel (kılmış olursun). (Bundan bir şey) eksik bırakırsan namazını eksilttin demektir."

Ravi der ki: "Resulullah'ın(sav) bu sonuncu sözü Ashab'a önceki: (Dön, namaz kıl, zira sen namaz kılmadın!) sözünden daha kolay (ve rahatlatıcı) oldu. Zira (bu söze göre), sayılanlardan bir eksiklik yapan kimsenin namazında eksiklik oluyor ve fakat tamamı heba olmuyordu."[37] [38]

Nebevi Reçete

Efendimiz(sav) şöyle buyuruyor:

"Kulun Rabbine en yakın olduğu hal secde halidir. İşte bu sebeple secdede çok dua etmeye bakın!"[38]

---

37 Tirmizi, Salat 226
38 Müslim, Salat 215

Kur'an'ı Tertil ile Oku

Kur'an'ı tertil ile okumak, namazlarımızı huşu ile kılmamıza vesile olacaktır. Bu okuyuş tarzını Rabbimiz bize tavsiye eder, Efendimiz(sav) öğretir.

"Tertil, Kur'an'da sadece iki yerde geçer. Her ikisi de vahyi anlama ve hayata aktarma bağlamında gelir.

Tertil, kelimeyi ağızdan kolaylıkla, doğru ve düzgün bir şekilde çıkarmak ve telaffuz etmek şeklinde tarif edilir. Hz. Aişe'nin tarifine göre tertil, eğer biri harfleri saymak istese, sayabileceği kadar ağır okumaktır. Mufassal sureleri (Kaf-Nas arası) bir gecede okuduğunu söyleyen birine İbn Mes'ud, "Desene şiir döktürür gibi döktürmüşsün" diye cevap verir.

Tertil emrinin amacı, vahyin manalarını akleden kalbe iyice hakkedilmesidir."[39]

Rabbimiz şöyle tarif ediyor: "Kur'an'ı da tertil ile oku."[40]

***

"...Oysa biz onu senin kalbine iyice yerleştirelim diye böyle (peyderpey) indirdik. Hem de onu tertil üzere (tefekkür için bir okuyuşla) okuduk."[41]

---

39 Mustafa İslamoğlu, Hayat Kitabı Kur'an Gerekçeli Meal-Tefsir, S.1118
40 Müzzemmil suresi, 4
41 Furkan suresi, 32

Rabbimizin bu tertil emrini Efendimiz[sav] en güzel şekilde yaşayarak bize öğretmiştir. Her ayette dura dura, kelimenin hakkını vere vere ve manayı hissede hissede okumuştur.

Burada bizim kendimize çıkarmamız gereken dersler;

Namaz kılarken kıraatimizde aceleci olmayacağız.

Her harfin hakkını vererek tecvid kuralına göre okuyacağız. Okuduklarımızı anlamaya gayret edeceğiz. Anladıklarımızı yüreğimizde hissetmeye çalışacağız.

Rahmet ayetlerinde çoşup, azap ayetlerinde titreyeceğiz.

Yeri geldiğinde gözyaşlarımız duygularımıza tercüman olacak.

Efendimizin[sav] yetiştirdiği talebeleri böyleydi.

Ebu Zerr[ra] anlatıyor:

"Resulullah aleyhissalatu vesselam gece namazına kalktı ve sabah vakti girinceye kadar namaza devam etti. Namazda tek ayet okudu. O da şu (mealdeki) ayettir: "Onlara azab edersen, doğrusu onlar Senin kullarındır. Onları bağışlarsan, güçlü olan, Hakim olan şüphesiz ancak Sensin"[42]

Hz. Ömer[ra] cemaatle sabah namazı kılıyordu. Yusuf suresini okudu ve gözyaşı köprücük kemiğine akıncaya kadar ağladı."[43]

Günümüzde ilk nesil gibi yaşayan, namazlarıyla dirilen namaz aşıkları elbette vardır. Geceleri özleyen ve namazın yolunu gözleyen nice namaz aşıkları...

Hepimiz o ilk neslin yolunu izleyerek huşu dolu namazları yaşayabiliriz. O yönde niyetimiz ve hedefimiz olmalı.

---

42 Maide suresi, 118; Nesai, İftitah, 79
43 İsmail Karaçam, Sonsuz Mucize Kur'an

Kıraatini Uzun Tut

Efendimize(sav) ve ilk nesle baktığımızda namazlarında kıraatlarının oldukça uzun olduğunu görüyoruz. Namazda acele etmiyorlar. Hayatlarının merkezine namazı koymuşlar. Aralardaki boşluklarda işlerini görüyorlar. Bizler ise işlerimizin arasında namazlara yer arar hale gelmişiz. Böyle olunca da namazlarımızı yasak savar kabilinden kılar durumdayız.

Bunun da en açık göstergesi namazdaki kıraatimiz.

Ülkemizde namaz kılanların büyük çoğunluğu namazda Fil suresinden sonraki sureleri okuyor. Ve bunlara isim bile bulmuşuz: Namaz sureleri.

Allah aşkına söyler misiniz, Kur'an'ın hangi suresi namaz suresi değildir?

Hangisi namazda okunmaz?

Son on sure namaz suresi ise diğerleri neyin nesidir?

Hatta yine azımsanmayacak bir kesim de Fatiha suresi hariç bir ömrü sadece kevser ve ihlas sureleriyle geçiriyor.

Elli yıl boyunca sadece iki sure ile namaz kılmak ne büyük bir gaflettir. Bir ömür okuduklarımıza hiçbir ilave yapmamak neyle izah edilebilir? Sadece senede bir sure ezberleseydik elli yılda elli sure

73

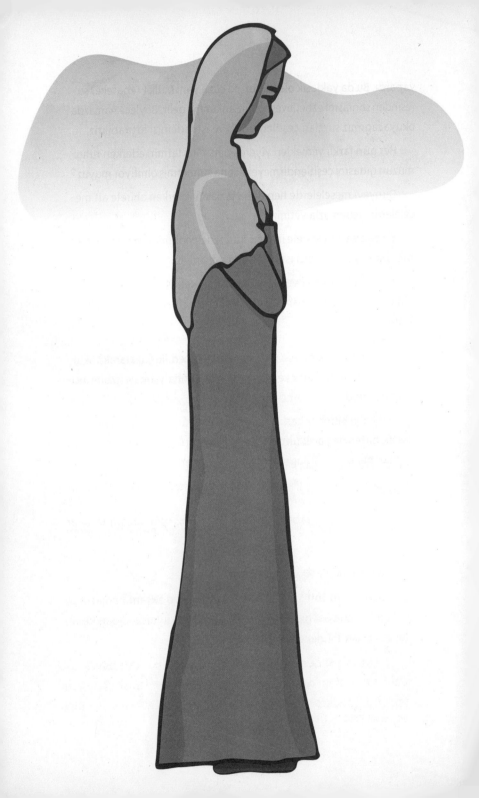

yapardı. Bu da yaklaşık olarak son iki cüzü yani Mülk (Tebareke) suresinden sonrasını ezberleyeceğimiz anlamına gelir. Böylece namazda okuyacağımız sureleri çeşitlendirmiş ve istifademizi artırabiliriz.

Her gün farklı yemekleri yiyerek nefsimizi tatmin ederken ruhumuzun gıdasını çeşitlendirmeyerek ona zulmetmiş olmuyor muyuz? Dünyevi meselelerde hep daha fazlasını isterken ahirete ait meselelerde neden azla yetiniriz.

Bu da olsa olsa ahirete inancımızın zedelendiğini ve ahiret yokmuş gibi bir yaşantının bizi istila ettiğini gösteriyor.

Rabbim bize insaf versin ve bu gaflet uykusundan uyandırsın. Şimdi Efendimizin(sav) namazdaki kıraatine bir bakalım ve kendimizi O'nunla kıyaslayalım.

Efendimiz(sav) namazda Kur'an okurken med ile (uzatarak) okur, her ayet sonunda durur ve sesini uzatırdı. Fatiha'yı okuyup bitirince "Amin" derdi.

Fatiha'yı bitirince başka bir sureye başlardı. Bazen bu sureyi uzun seçer, bazen de yolculuk gibi bir takım sebeplerle kısa tutardı. Çoğu zaman her işinde olduğu gibi orta yolu seçerdi.

Ebu Bürde(ra) anlatıyor:

"Resulullah(sav) sabah namazında altmış-yüz arasında ayet okurdu."[44]

Mervan İbnu'l-Hakem anlatıyor:

"Bana Zeyd İbn Sabit(ra) dedi ki: "Sen niye akşam namazında (kısaru'l-mufassal denilen) kısa surelerden okuyorsun? Ben Resulullahın Tula't-Tuleyeyn'i okuduğunu işittim."

---

44 Nesai, İftitah 112; Buhari, Mevakit 11,13, 39

75

Ebu Davud'un rivayetinde şu ziyade var: "... Dedim ki: Tula't-Tuleyeyn nedir? Bana "el-A'raf", öbürü de "el-En'am" diye cevap verdi."[45]

Hz. Aişe[ra] anlatıyor:

"Resulullah aleyhissalatu vesselam, A'raf suresiyle akşamı kıldırdı. Sureyi ikiye bölerek her iki rek'atte bir parçasını okudu.[46]

***

Cübeyr İbn Mut'im[ra] anlatıyor:

"Resulullah'ı[sav] akşam namazında et-Tûr suresini okurken işittim."[47]

Öğle namazında oldukça uzun okunurdu. Hatta Ebu Said der ki:

"Öğle namazı kılmaya başlanır. Bu sırada cemaatten biri Baki mezarlığına kadar gider. Abdest bozar. Sonra ailesinin yanına gelir. Abdestini alır. Hz. Peygamberin[sav] uzun uzun okuduğu birinci rekata yetişirdi.[48]

Yine öğle namazında bazen Secde suresi kadar bir sure, A'la, Leyl, Buruc ve Tarık surelerini okurdu. İkindi namazında kıraat uzun olduğunda öğle namazı kıraatinden yarım fazla, kısa olduğunda öğle namazı kadardı.

Akşam namazında yukarıda örneğini verdiğimiz surelerle beraber, Saffat, Duhan, A'la, Tin, Mürselat, Felak ve Nas surelerini okuduğu da olmuştur.

Akşam namazlarında sürekli kısa sureleri okuma alışkanlığı Emeviler döneminde başlamıştır. Halbuki devamlı kısa bir ayet ve kısa

---

45 Buhari, Ezan 98; Ebu Davud, Salat 132
46 Nesai, İftitah 67
47 Buhari, Ezan 99; Müslim, Salat 174
48 Müslim, 454

sureleri okumak sünnete aykırıdır. Yukarıda Efendimizin(sav) okuduklarını örnek olarak verdim.

Başka sure bilemiyorsan öğreninceye kadar bildiklerini okumaya devam edersin. Müslümana yakışan Kur'an'dan nasibini artırmasıdır. Ezberleri artırmak için hayat planında buna yer ayırmalıdır. Mesala tatilini ezber için değerlendirebilirsin. Dinlenirken öğrenirsin. Yatsı namazına gelince Tin suresini okumuş ve Hz. Muaz'a Şems, A'la ve Leyl surelerini okumasını tavsiye etmiştir."[49]

Bütün bunları okuduktan sonra şöyle bir itiraz gelebilir: Hocam sen çıtayı çok yukarı çekmişsin. İşi zorlaştırıyorsun. Hem bilmiyor musun Efendimiz(sav) "Hanginiz insanlara imam olursa namazı kısa kıldırsın" buyuruyor ve Hz. Mus'ab'ı da uzun kıldırdığı için uyararak "Sen fitneci misin?" diyor.

Ne zaman ki bizim fırtına gibi kıldığımız namazları eleştirsem, kıraatimizin azlığından şikayet etsem bu itiraz geliyor karşıma. Bu itirazlara verilecek cevap şudur:

Öncelikle "Hanginiz insanlara imam olursa kısa kıldırsın" buyuran Efendimizin(sav) kısa anlayışı ile bizim kısa anlayışımız arasında dağlar kadar fark var. Bu emri veren ve nasıl kıldırılacağına örnek olan Efendimizin(sav) fiili sünnetini ortaya koydum. Bizim kısa anlayışımız üç kısa ayet veya Fil suresinden sonraki sureler. Halbuki Efendimizin(sav) anlayışı böyle değil.

Hz. Musab'ın uyarılmasına gelince, gecenin ilerleyen saatine rağmen o Bakara suresinin tamamını okuyarak yatsı namazını kırdırıyordu. Bakara suresi Kur'an'ın en uzun suresidir. Ve geç vakitte kıldırdığı namazda okumuştur. Onunla namaz kılanların şikayeti üzerine Efendimiz(sav) uyarıyor ve ona Şems, A'la ve Leyl gibi (orta mufassal) sureleri okumasını tavsiye ediyor.

---

49 İbn Kayyim el-Cevziyye, Zadu'l-Mead, c.1

Örneklerini verdiğimiz namazlarla bizim namazları bir kıyaslayalım.

Bizim kıraatlerimiz Efendimizin(sav) namazındaki kıraatine benziyor mu?

Bizim fırtına gibi kıldığımız akşam namazında Efendimizin(sav) kıraatinin uzunluğuna bakar mısınız?

Bizim İhlas ve Kevser surelerine mahkum ettiğimiz akşam namazında O yirmi beş sayfalık A'raf suresini okuyor, sabah namazında altmış ile yüz arasında ayet okuyor.

Peki bizim ömrümüzde hiç böyle bir namazımız oldu mu?

Diyebilirsiniz ki biz hafız değiliz. O sureleri bilemiyoruz. Olabilir.

Efendimizin(sav) iltifatına mazhar olmuş "Kur'an'ın kalbidir" buyurduğu Yasin-i şerifi birçoğumuz ezbere biliriz. Peki şöyle eşref saatimizde açık büfe yemek yer gibi Yasin suresi ile namaz kılmayı hiç denedik mi?

Özellikle nafile namazlarda ve gece namazlarında bunu deneyebiliriz. Bu şekilde namazın tadını ve huşuyu keşfetmeye başlayacağız. Tecrübe eden kardeşlerin güzel itirafları bizleri de kendilerini de memnun ediyor.

Ezberlerimizi artırıncay kadar bildiğimiz sureleri peş peşe okuyarak veya aynı sureyi tekrar tekrar okuyarak uzun kıraatli namazlar kılabiliriz.

Günümüzde bunun en güzel örneklerini Ramazan ayında Harameyn'de kılınan teravih ve teheccüd namazlarında görmek mümkn. Saatlerce süren uzun kıraatli namazlar ve bedenler yorulurken ruhların şahlanışı ne büyük nimet.

Elhamdülillah son zamanlarda ülkemizde de bu güzel örnekleri görmeye başladık. Cemaatle uzun kıraatli teheccüd namazları, hatimle kılınan teravih namazları ve yine hatimle kılınan sabah namazı örneklerini görmek ve duymak bizi fazlasıyla mesrur ediyor.

Rabbim her ilimizde ve ilçemizde bu misalleri görmeyi nasip eylesin. Amin

Namazda huşuyu keşfetmenin bir yolu da kıraatlerimizi artırmaktan geçiyor. "Allah ile beraber olmak isteyen namaza dursun. Allah ile konuşmak isteyen Kur'an okusun" buyuruyor Efendimiz(sav). Namazda ikisi bir arada. Kıraatimizi uzattığımızda Rabbimizle sohbeti uzattığımızı düşüneceğiz. Bir de bunun tadını yüreğimizde hissetmeye başladık mı işte o zaman bizim bayramımız olur. Bunları daha çok özelimizde sünnet ve nafile namazları kılarken yapalım. Farz namazlarda cemaati bilinçlendirmeden yapmaya çalışırsak fitneye sebep olabilir.

Yine Ramazan ayında Teravih namazı kılarkenki sürati anlamak mümkün değil. Namaz mı kılıyoruz yoksa maratonda mıyız belli değil. Bu öyle bir hal almış ki bir hocamız usulünce kıldırmaya kalksa yadırganıyor. Eleştiriliyor. Sonunda o da onlara uyup cemaati sünnet üzere terbiye edeceği yerde kendisi onlar gibi olabiliyor.

Allah aşkına söyler misiniz Yatsı namazının kıraati ile Teravih namazının kıraati arasındaki fark nedir? Teravih namazı bitiyor Vitir namazında yeniden normale dönülüyor. İki sünnet arasında bir fark varsa lütfen bize de söyleyin. Hele bir de Vitir namazındaki Asr, Kevser ve İhlas surelerini okuma aşkına ne demeli? Bir ara sünnet zannettim. Neredeyse her camide bunlar okunuyor. Merak ettim, araştırdım. Efendimizin(sav) Vitir namazında A'la, Kafirun ve İhlas surelerini okuduğunu öğrendim. Meğer Efendimizin(sav) yolundan ne kadar da uzaklaşmışız.

Bu satırları okuyan aziz kardeşim! Gel her konuda olduğu gibi namazlarımızdaki kıraatlerimizde de Efendimizi(sav) takip edelim.

Ona tabi olalım.

Onun yolunu izlemek, ayrıca bize sevap kazandıracaktır.

Böylece inşallah namazda huşuyu keşfetmeye başlamış oluruz.

Nebevi Reçete

"Allah ile beraber olmak isteyen namaza dursun. Allah ile konuşmak isteyen Kur'an okusun."

Rükunun Hakkını Ver

Rükuda Rabbimizin büyüklüğünü idrak ederek O'nun karşısında kusurlarımızı hatırlamalı, mahcup ve mahzun bir halde tevazumuzu ortaya koymalıyız. Kalbimiz Allah'ın büyüklüğüne şahitlik ederken dilimiz de aynı manayı söylemelidir. Aklımızın tasavvur ettiği her büyükten daha büyük olduğunu düşünerek rükuya varmalı, bu duygunun kalbimizi sarması için uğraşmalıyız. Korku ile ümit arasında olmalıyız.

Ta'dil-i erkan bölümünde bu konu üzerinde durduk. Burada ayrıca başlık açmamızın sebebi bu rüknün önemine dikkat çekmek içindir. Rüku Rabbimizin emridir. Farzdır. İşte ayet-i kerime:

"Ey iman edenler! Rüku edin, secde edin, Rabbinize kulluk edin (emirlerine uygun yaşayın) ve hayır işleyin ki umduğunuza erişesiniz."[50]

Efendimizin[sav] rükusunu Ebu Humeyd[ra] şöyle açıklar:

"Hz. Peygamberin rüku yaparken ellerini dizleri üzerine koyduğunu gördüm. Sonra sırtını düzgün tutardı."[51]

Hz. Aişe[ra] şöyle nakleder:

---

50 Hac suresi, 77
51 Buhari, Ezan, 120, 145

"Resulullah(sav) rükuya gittiği zaman başını yukarıya doğru kaldırmaz, aşağı doğru da eğmezdi. İkisi arasında bir vaziyette tutardı."[52]

Başka bir hadis-i şerifte ise:

Hz. Peygamber rükuya gidince, sırtı üzerinde bir bardak su bulunacak olsa, hareket etmezdi, buyurulur.[53]

O'nun rükusu böyleydi.

Peki orada neler okurdu?

Rükuda şöyle derdi:

"Sübhane Rabbiye'l azim. (Yüce Rabbimi tenzih ederim.)"[54]

Bazen de bu söze ek olarak veya yalnızca şöyle dediği de olurdu: "Sübhanekallahümme Rabbena ve bi hamdik. Allahümmeğfirli. (Rabbimiz olan Allahım! Sana hamdederek Seni her türlü eksikliklerden tenzih ederim. Allahım, beni bağışla."[55]

Mutad olan rükusu on tesbih okuyacak (On defa Sübhanellah diyecek) kadardı. Secdesi de böyleydi.

Rükuda şöyle dediği de olurdu:

"Subbuhun kuddusün Rabbu'l melaiketi ve'r ruh. (O Allah, her türlü noksanlıktan münezzeh Subbuh, Kuddüs isimlerinin sahibi, meleklerin ve Ruh'un Rabbidir.)"[56]

Rükudan kalkarken;

52 Müslim, Salat, 240
53 Buhari, Ezan, 120
54 Müslim, 772
55 Buhari 10/123
56 Müslim, 487

"Semiallahu limen hamideh (Allah hamd eden kişinin hamdini işitti)" derdi.

Rükudan kalktığında ve iki secde arasında daima belini doğrulturdu. Ve şöyle buyururdu:

"Bir kimsenin rüku ve secdede belini doğrultmadan kıldığı namaz, namaz olmaz."[57]

Ayakta tam doğrulduğunda;

"Rabbena leke'l hamd veya Allahümme Rabbena leke'l hamd derdi. (Rabbimiz hamd Sanadır veya Rabbimiz olan Allahım! Hamd yalnız Sanadır.)" derdi.

Rükudan doğrulduktan sonra bunlara ilave olarak söylediği başka güzel niyazlar da vardı. Arzu edenler onları da hadis kitaplarından okuyup ezberleyerek namazlarını zenginleştirebilir.

---

57 Tirmizi, 265

Secdenin Hakkını Ver

İnsan için zilletlerin en büyüğü, kendisi gibi aciz başka bir varlık karşısında ayaklarına kapanırcasına eğilmektir. Azaların en yücesi ve kıymetlisi olan alnını, eşyanın en zelili olan toprağa koyacaksın. Bununla ilahlığa kalkışan nefsimize gereken cevabı vererek aslını hatırlatıyoruz. Topraktan yaratıldığımızı ve tekrar toprağa döneceğimize iman ettik. Böylece onu layık olduğu yere koyuyoruz. Nefsin esiri olmaktan kurtulup ruhun özgürlüğünü yaşarız.

Secde başlı başına bir rükundur. Rüku ile birlikte Rabbimiz ayet-i kerimede emretmiştir.

Burada da Efendimizin(sav) izini takip edeceğiz.

Hz. Peygamber(sav) secdeye giderken önce dizlerini sonra ellerini daha sonra da alnını ve burnunu yere koyardı.

Vail b. Hucr'un şöyle dediği nakledilir:

"Allah Resulü'nü gözetledim. Secde ederken dizlerini ellerinden önce yere koydu. Secdeden kalkarken de ellerini dizlerinden önce yerden kaldırdı."[58]

Efendimiz(sav) secde ettiğinde alnını ve burnunu yere iyice yerleştirir, ellerini yanlarından o kadar dışarı çıkarır ve uzaklaştırırdı ki, koltuklarının aklığı gözükür, hatta bir kuzu altlarından geçmek istese geçebilirdi.

"Ellerini omuzları ve kulakları hizasında yere koyardı."

Ve şöyle buyururdu:

"Secde ettiğinde avuç içlerini yere koy; dirseklerini yukarı kaldır."[59]

Secde anında şu tesbih ve dualardan birini okurdu:

"Sübhane Rabbiye'l- A'la (En yüce Rabbimi noksanlıklardan tenzih ederim.)"[60]

***

"Sübhanekellahümme Rabbena vebi hamdik, Allahümme'ğfirli. (Rabbimiz olan Allahım! Sana hamdederek Seni her türlü eksiklikten tenzih ederim. Allahım! Beni bağışla."[61]

Hz. Peygamber(sav) secdede dua etmeyi emretmiş ve "Bu şekil duanız kabule daha layıktır." buyurmuştur.[62]

58 Ebu Davud, 858
59 Müslim, 194
60 Müslim, 772
61 Müslim, 484
62 Müslim, 479

Ve yine Efendimiz şöyle buyurmuştur:

"Kulun Rabbine en yakın olduğu hal, secdedeki haldir. Artık secdede duayı çokça yapınız."[63]

Secdenin kıymetini anlamamız bakımından şu hatıra da çok önemlidir.

Rabia b. Ka'b el-Eslemi[ra] anlatıyor: "Bir gece Resulullah'ın[sav] yanında kaldım. Ona abdest suyunu ve ihtiyaç duyduğu şeyleri getirdim. Bana:

"Benden bir şey iste" dedi. Ben de:

"Cennette seninle birlikte olmak isterim," dedim. O:

"Bundan başka bir şey de olabilir." dedi. Ben:

"Bunu istiyorum," dedim.

Bunun üzerine Resulullah[sav] "O zaman çok secde etmek suretiyle bana yardımcı ol." dedi.[64]

İlk neslin secde hali çok farklıdır.

Onlara baktığımızda bizim secdelerin ne kadar yavan olduğunu daha iyi anlıyoruz. Onlar ibadetin özünü hissederken bizler henüz kabuğu ile uğraşıyoruz.

Bize çok uzak ama güzel bir misal:

Hz. Aişe'nin kız kardeşi Esma'nın oğlu Urve b. Zübeyr'in ayağı kangren olmuştu. Hastalığının yayılmaması için ayağının kesilmesi gerektiğini söylediler. Doktorlar ayağını kesmek için devrin şartlarına göre narkoz mahiyetinde kullanılan bir tür içki içirmek istediler. Fakat o: "Allah Teala haramda şifa kılmamıştır" diyerek içki içmeyi kabul etmedi. Daha sonra hissi iptal eden bir çeşit narkoz ilacı içirmek istediler, aklının izale edilmesini kesinlikle kabul etmedi.

---

63 Müslim, 482
64 Müslim, 489

"O halde birileri seni sıkıca tutsun ki kesebilelim," dediler.

Doktorlara:

"Hayır, ben kendim için size yardımcı olurum," dedi.

"Buna tahammül edemezsin," dediler.

"Bırakın beni, namaza durayım, tam namaza daldığımı ve secdede hareketsiz hale geldiğimi gördüğünüzde ben artık dünyada değilim, istediğinizi yapın," dedi.

Doktor geldi, bekledi, Urve secdeye gidip de iyice hareketsiz hale gelince neşteriyle ayağını kesti. Urve'nin sesi bile çıkmadı. Hatta o secdede şöyle diyordu:

"Lailahe illallah! Rab olarak Allah'tan, din olarak İslam'dan, Nebi ve Resul olarak Muhammed'den razıyım..."

Böylece kendinden geçti ve ayağının kesilmesine sesi bile çıkmadı Urve'nin. Kendisine geldiğinde, getirip ayağını ona gösterdiler. Kesik ayağına baktı ve şöyle dedi:

"Allah'a yemin ederim ki, seninle bir harama yürümedim. Seninle geceleri ne kadar ayakta durup namaz kıldığımı da Allah biliyor."

Sahabeden biri ona:

"Urve, sana müjdeler olsun! Bedeninden bir parça senden önce cennete gitti." deyince Urve:

"Vallahi, kimse bana bundan daha güzel bir sözle taziye veremez" dedi.[65]

Hz. Mevlana'nın tarifiyle namazdaki bu rükunlarda huşuyu yakalamanın yolu şöyledir:

"Ey imam, namaza başlarken "Allahu Ekber" demenin manası şudur: "Allah'ım, biz Senin huzurunda kurban olduk." Kurban keserken "Allahu Ekber" dersin, işte öldürülmeye layık olan nefsi

---

65 Faruk Beşer, Namazı Dosdoğru Kılmak, s.81

kurban ederken de bu söz söylenir. O esnada beden İsmail, can da Halil İbrahim gibidir.

Can, bu semiz bedenin heva ve hevesini kesmek için tekbir getirince beden şehvetlerden, hırslardan kurtulur, namazda "Bismillahirrahmanirrahim" demekle kurban olur gider.

Namaz kılanlar, kıyamette olduğu gibi Allah'ın huzurunda saflar halinde dururlar; sorguya, hesap vermeye, yalvarmaya koyulurlar.

Namazda gözyaşı dökerken ayakta durmak, kıyamet günü dirilerek kabirlerden kalkıp mahşer yerinde Allah'ın huzurunda ayakta durmaya benzer. Cenab-ı Hakk;

"Sana verdiğim bu kadar mühlet içinde ne yaptın, ne kazandın ve bana ne getirdin?" diyecek.

Ömrünü ne gibi ibadetlerle, ne iyilikler yaparak harcadın?

Sana verdiğim rızkı, kuvveti, gücü ne ile tükettin?

Gözünün nûrunu nerelerde kullandın?

Gözünü, kulağını, aklını, iradeni, bileğini, arşa ait olan bütün bu kuvvetlerini, neye, nerelere harcadın da onlara karşılık, bu dünyada neyi satın aldın? Sana kazma gibi, bel gibi el, ayak verdim. Onları sana ben bağışladım; onlar ne oldular?"

Allah'ın huzurunda bunun gibi derde dert katan yüz binlerce haberler, sualler gelir.

Namazda kıyamda iken, kula gelen bu sözlerden kul utanır, utancından iki büklüm olur rükuya varır. Utancından ayakta durmaya gücü kalmaz, rükuda: "Subhane rabbiye'l-azîm" diyerek Allah'ın noksan sıfatlardan berî olduğunu söyler.

Sonra o kula Hakk'tan ferman gelir; "Başını kaldır da sorulan sorulara cevap ver." denir. Kul utana sıkıla başını rükudan kaldırır; fakat dayanamaz; o günahkar, utancından yine yüzüstü yere kapanır.

Ona tekrar; "Secdeden başını kaldır da, yaptıklarından haber ver." diye ferman gelir. O bir kere daha utanarak başını kaldırır ama dayanamaz yine yılan gibi yüzüstü düşer.

Cenab-ı Hakk tekrar "Başını kaldır da söyle, yaptıklarını kıldan kıla, birer birer senden soracağım" buyurur.

Allah'ın heybetli hitabı, onun ruhuna te'sir ettiği için, ayakta duracak gücü kalmamıştır. Bu ağır yük yüzünden ka'deye varır, dizleri üstüne çöker. Cenab-ı Hakk ise; "Haydi söyle, anlat." buyurur. "Sana nimet vermiştim, nasıl şükrettiğini söyle; sana sermaye vermiştim, onunla ne kâr elde ettiğini göster."

Kul yüzünü sağ tarafına döndürür, peygamberlerin ruhlarına ve meleklere selam verir. Onlara niyazda bulunur da der ki: "Ey mana padişahları, bu kötü kişiye şefaat edin, bu günahkarın ayağı da, örtüsü de çamura battı."

Peygamberler selam veren kula derler ki: "Çare ve yardım günü geçti, gitti. Çare dünyada olabilirdi, orada hayırlı işler yapmadın, ibadet etmedin, öğünler geçti. Ey bahtsız kişi, sen vakitsiz öten bir horoz gibisin; git, bizi üzme, bizim kalbimizi kırma."

Kul yüzünü sola çevirir, bu defa akrabalarından yardım ister, onlar da ona; "Sus." derler. "Ey efendi, biz kimiz ki sana yardım edelim, elini bizden çek de kendi cevabını Allah'a kendin ver." derler.

Ne bu taraftan, ne o taraftan bir çare bulamayınca, o çaresiz kulun gönlü, yüz parça olur.

O herkesten ümidini kesince iki elini açar, duaya başlar. "Allah'ım, herkesten ümidimi kestim. Evvel ve ahir kulunun başvuracağı, sığınacağı Sensin; Senin rahmet ve mağfiretine son yoktur."

Namazdaki bu hoş işaretleri gör de, sonunda, kesin olarak işin böyle olacağını anla... Aklını başına al da namaz yumurtasından civciv çıkar, yani namazdan manen yararlan, yoksa dane toplayan bir şey öğrenememiş kuş gibi, Allah'ın büyüklüğünü düşünmeden yere başını koyup kaldırma.

Dünyadayken secde nimetinden mahrum kalanların akıbeti dehşet vericidir. Kişinin kendine yapacağı en büyük zulüm, secdeden uzak durmasıdır.

Yapacağı en büyük iyilik ise, secdesini çoğaltmasıdır.

İşte Rabbimizin ayetleri:

"O gün keşf-i sak olacak (hakikat perdesi açılıp etekler tutuşacak) ve secdeye davet edilecekler. Fakat (namazı kılmayanlar, münafıklar ve riyakarlar buna) güç yetiremeyecekler."[66]

***

"(Çünkü) artık gözleri (dehşetten) öne eğik bir halde, kendilerini (kımıldayamayacak) bir horluk ve aşağılık kaplar. Onlar (dünyada) sağ salim iken (ezanlarla Allah'a) secdeye çağrılırlar (fakat büyüklenerek yan çizerler)di."[67]

---

66 Kalem suresi, 42
67 Kalem suresi, 43

Okuduklarını Anlamaya Çalış

Kıldığımız namazları diriltmek bizim dirilmemizle ancak mümkün olur. Bizim dirilmemiz de namazlarımızı diriltmekle. Namazlarımızı diriltmek için namazlarımızdaki eylemlerin hikmetini kavramak ve söylediklerimizi fark etmemiz gerekiyor. Rabbimizin biz kullarına ilk emri "İkra"nın manası oku, anla ve tatbik etmektir. Fakat bizler bu emrin sadece bir kısmını yaparak kendimizi nice hayırdan mahrum ediyoruz. "Oku" emrini "tekrar et" olarak anlamışız. Okuduklarımızı anlamadığımız için duymuyoruz da.

İmam Gazali rahmetullahi aleyh okumak üç türlüdür der.

Dilin okuması

Aklın okuması

Kalbin okuması.

Dilin okuması, Kur'an ayetlerini dilin kurallarına göre seslendirmesidir. Aklın okuması, okuduklarını anlaması ve tefekkür etmesidir. Kalbin okuması ise okuyup anladıklarını hissetmesi ve yaşamasıdır.

Aman ya Rabbi! Biz manaların ne kadar da gerisinde kaldık.

Yıllarca okuduğumuz birkaç mübarek sure ve duayı bile anlama gayretinde bulunmadık. Ömrümüz boyunca hiç lazım olmayacak yüzlerce konuya kafa yorarken dünya ve ahiretimizi mamur edecek bu sure ve dualara kör ve sağır kesilmek gerçekten ne büyük gaflet.

Söylediklerimizi pekiştirmek için şöyle kabaca bir hesap yapalım. Elli yıl namaz kılan bir Müslüman sadece namazda yedi yüz otuz bin defa mübarek Fatiha suresini okuyor. Binlerce defa tekrar ettiği bu mübarek sureyi anlayamadan ruhuna Fatiha okunuyor. Anlaşılır bir şey değil bu.

Okuduklarımızı bir idrak edebilsek hayatımızda nice inkılaplar olacak. Sadece Fatiha'yı gereğince anlayabilsek bize öyle ufuklar açacak ki.

Şu an bu satırları okuyan aziz kardeşim!

İstersen şimdi elinden kitabını bırak ve hemen Fatiha suresini anlamaya niyet ederek önce mealini sonra da tefsirini okumak için bir besmele çek.

Emin ol bugüne kadar kendine yaptığın en büyük iyilik olacak bu.

Namaz çalışmaları sırasında tanıştığımız, sonrada dost olduğumuz Bursa Kelesli Yener Kamış kardeşimin hatırasını burada paylaşmak yerinde olacak. Yener kardeşim müslümanca yaşamaya çalışan, İslam için bir şey yapmaya çalışanları yakından takip eden ve bu hizmetlerde nasıl yer alabilirim, diye yüreği çarpan yiğit bir müslüman. "Namazla Diriliş" çalışmalarını adım adım takip eder, konuyla ilgili çıkan kitapları hemen alır ve okur, katılabileceği bir etkinlik varsa hemen orada bulunur, dua eder, destek olur ve katkıda bulunur. "Kur'an'la Yaşamak" isimli kitabımız yayınlandıktan kısa bir süre sonra Yener kardeşim beni aradı. Kitabı aldığını ve okumaya başladığını, fakat yüz yirmi dördüncü sayfaya geldiğinde bırakmak zorunda kaldığını söyledi. Bu durumda ben de endişelendim. Herhalde üslubunu ağır buldu. Anlamakta zorlandı. Ve daha fazla dayanamayarak bırakmak zorunda kaldı diye düşündüm. Meğer konuyu tam dinleyip anlamadan yorumlamak ve ön yargıda bulunmak ne kadar sakıncalıymış. Ben ilk cümlenin etrafında düşünürken Yener kardeşim bombayı patlattı: "Hocam yüz yirmi dördüncü sayfada bıraktım. Çünkü hatamı fark ettim. Bu güne kadar okumaya çalıştığım hayat kitabımı ve namazda okuduklarımı anlamak için gereken önemi vermediğimi anladım. Evde hemen Kur'an'ı anlama dersi başlattık. Allah nasip ederse kitabın geri kalan kısmını da bundan sonra okumaya çalışacağım. Allah sizden razı olsun. Bizi uyandırdınız."

Yener kardeşimin bu itirafı bizi çok mutlu etti. Elhamdülillah kitabın yazılma maksadı gerçekleşmeye başlamıştı. Sadece Yener kardeşim ve ailesi için bile yazılsaydı bu kitap değerdi. Ve daha sonra bu minvalde nice güzel mektuplar gelmeye devam etti. Burada yeri gelmişken konuya ilgi duyanlara özellikle okumalarını tavsiye ederim. Kur'an ile aramızdaki engelleri kaldırmak ve onu yaşam kılavuzu edinmek isteyenler için "Kur'an'la Yaşamak" kitabımız ellerinden bırakamayacakları bir rehber olacak. Onu okuduğunuzda Kur'an'dan ve onu bize gönderen Rabbimizden özür dileyerek Kur'an'ı yeni nazil oluyormuş gibi okumaya başlayacaksınız.

Rabbimiz Kur'an'ı kalbimizin baharı eylesin.

Namazda huşuyu yakalayabilmek için okuduklarımızı anlayarak namazın içine doğru bir yolculuğa çıkmalıyız. Çoğu zaman namaza durduğumuzda aklımız ve hayalimiz namazın dışında başka yerlerde dolaşıyor. Şeytan bizi onlarla meşgul ediyor. Namazımıza engel olamadığı için namazdan çalmaya çalışıyor. Namazdan elde edeceğimiz faydayı en aza indirmek için gayret ediyor. Bizim namaza durmamızla morali bozulsa da bizden ümidini kesmiyor. Acaba başka neler yaparak namaz kılan bu insanı Allah'tan uzaklaştırabilirim diye yeni projeler geliştiriyor. Namaza durduğumuzda bütün unuttuklarımızı hatırlamamız veya binbir vesvesenin bizi meşgul etmesinin sebebi budur. Şeytanla savaşımız devam ediyor. Kaybeden pehlivan güreşe doymazmış dedikleri gibi şeytan da yeni bir hamleyle bizi namazdan gafil kılmaya çalışıyor.

Konuyla ilgili Efendimizin(sav) birkaç hatırlatması:

Hz. Aişe(ra) anlatıyor:

Resulullah'a namazda sağa sola bakmak (iltifat) hususundan sordum.

Şu cevabı verdi: "Bu bir kapıp kaçırmadır. Şeytan kulun namazından kapar kaçırır."[68]

Demek ki namazda sağa sola bakmayacağız. Gözümüz sadece secde edeceğimiz yerde olacak. Diğer bakışlarımız şeytandandır. Şeytan namazımızdan çalmak için bizi başka şeylerle meşgul etmeye çalışır. Allah dostları özellikle hep ilk safta namaza durmaya gayret ederdi. Çünkü hem Efendimizin(sav) müjdelediği ilk safın sevabını almak, hem de namazda kendilerini meşgul edecek diğer giriş ve çıkışlardan kendilerini korumaya gayret ederlerdi.

Başka bir Nebevi uyarıda ise önemli bir konuya dikkat çekilir. Şeytan bizi Allah'ın rahmetinden mahrum etmek için elinden geleni yapmaya çalışıyor. Rahmet deryasından kana kana içmemize mani oluyor.

Farkında mıyız? Şeytan bizim apaçık düşmanımızdır.

Biz de onu düşman bileceğiz. Ve ondan uzaklaşmanın yollarını arayacağız.

Şeytandan uzak olan Rabbine yakın durur. Namaz kılan Rabbine; kılmayan ise şeytana yakındır.

---

68   Buhari, Ezan 93

Hz. Ebu Zerr[ra] anlatıyor: "Resulullah[sav] buyurdular ki: "Allah, kula namazda sağa sola iltifat etmedikçe rahmetiyle yaklaşmaya devam eder. İltifat etti mi ondan yüz çevirir."[69]

Namazda okuduklarımızı anlamaya çalışmak, zihnimizi başka düşüncelerin istila etmesinden korur.

Şeytanın namazdan çalmasına engel olur.

Allah'ın rahmet deryasında yüzdürür.

Gönlümüze imanın ve namazın tadını hissettirir.

Okuduğumuz her ayet yeni nazil oluyormuş gibi heyecan verir.

Ayetlerin nuruyla nurlandırır.

Ufkumuz aydınlanır.

Cehalet karanlığını dağıtır.

Allah'a kul olmanın zevkini tattırır.

Secdelerde tevazuyla O'nun huzurunda alçaldıkça yükseldiğimizi hissettirir.

Başka hiçbir yaratılmışın karşısında eğilmeme bilinci verir.

Şeytan ve dostlarıyla amansız bir savaşta olduğumuzu fark ettirir.

Asıl olanın ahiret hayatı olduğunu, bu dünyanın ahireti kazanmak için bir geçiş yeri olduğunu hatırlatır.

Dünyanın oyalamasına aldanmamayı öğretir.

Sahibi olduğunu zannettiğimiz her şeyin emanetçisi olduğumuzu unutmayarak yaşamamızı sağlar.

Yeri gelmişken bize ders olması için yeni Müslüman olmuş bir profesörün ilk namaz tecrübesini burada paylaşacağım. İlk namazına bakın nasıl başlıyor. Bizim son namazımıza kadar düşünmediğimiz hakikati o ilk namazında yakalamış. İlk kılacağı namazda okuması

---

69   Ebu Davud, Salat 165

gerekenleri önce Rabbimizin gönderdiği dilde ezberlemeye çalışırken bir taraftan da kendi dilinde tercümelerini öğrenmeye çalışıyor. İşte o ibretlik hayat öyküsü:

Amerika'nın muhtelif üniversitelerinde görev yapan matematik profesörü Jeffrey Lang İslam'a giriş hikayesini yazmış olduğu *'Melekler soruncaya kadar' (Even Angels Ask: A Journey to Islam in America)* isimli eserinde, derin felsefi düşüncelerle ruhani duygular arasında ilk namazını şöyle dile getiriyor:

"Müslüman olduğum gün cami imamı, bana namazın kılınışını açıklayan bir kitap verdi. Ve bana "Acele etme, rahat ol, zamanla yavaş yavaş yaparsın" dedi. Ben de kendi kendime, "Namaz bu kadar zor mu?" diye düşündüm. Ve vaktinde beş vakit namaz kılmaya karar verdim.

O gece, loş ve küçük odama çekilerek cami imamının bana verdiği kitabı iyice inceledim. Abdest ve namaz kılmayı öğrenmek için denemeler yaptım, namazda okunacak bazı surelerin Arapça okunuşları ve İngilizce anlamlarını ezberlemeye çalıştım. Bu çalışmalar saatlerce devam etti.

O gün yatsı namazını kılmaya karar verdim. Vakit gece yarısıydı... Kitaptaki talimatları dikkat ve incelikle bir bir uygulayarak önce abdest aldım.

Odanın kapı ve pencerelerinin kilitli olduğundan emin olduktan sonra kıble olarak bildiğim tarafa yöneldim; derin bir nefes alarak ellerimi kaldırdım ve alçak bir sesle "Allahu Ekber" dedim. Kimsenin beni işitmemesini ve görmemesini umuyordum. Yavaş yavaş Fatiha suresi ile kısa bir sureyi Arapça olarak okudum. Öyle zannediyorum ki herhangi bir Müslüman beni dinlemiş olsaydı benim okuyuşumdan hiçbir şey anlamayacaktı.

İkinci bir tekbir alarak rükuya gittim. Rükuda biraz tedirginlik hissettim, çünkü hayatım boyunca daha önce hiç kimsenin karşısında eğilmemiştim. Odada yalnız olduğumu hatırlayınca sevindim. "Sübhane Rabbiye'l azim" dediğimde kalbimin hızla çarptığını hissettim. Tekrar tekbir getirerek doğruldum. Artık secdeye varma zamanı gelmişti; ellerimi ve dizlerimi yere koyunca donakaldım, secdeye gidemiyordum. Efendisinin önünde başını yere koyan köle gibi yüzümü, burnumu yere koyup kendimi zillet sandığım bir duruma düşüremiyordum. Üstelik bacaklarım da katlanamıyordu, utandım gülünç duruma düştüm zannettim.

Beni bu halde görecek olan arkadaşlarımın kahkahalarını duyar gibi oluyordum. "San Francisco'da Araplar çarptı bu hale düştü" gibi sözler sarf edeceklerini hayal ediyordum. Bir müddet tereddüt ettikten sonra derin bir nefes aldım; başımı seccadeye koydum, zihnimdeki bütün düşünceleri attım, dikkatimi dağıtacak düşüncelere yer vermeden ikinci defa secdeye vardım. Bu esnada kendi kendime "Daha önümde üç tur var" diye düşündüm. Kararlıydım... Neye mal olursa olsun bu namazı tamamlayacaktım. Kalan rekatlarda işler gittikçe daha da kolaylaşıyordu.

Son secdede tam bir sükûnet hissettim. Nihayet teşehhütten sonra selam verdim.

Selam verdikten sonra bulunduğum yerde kala kaldım. Geriye dönüp nefsimle giriştiğim savaşı düşündüm. Adeta bir savaştan çıkmıştım. Başımı önüme eğerek mahcup bir şekilde, "Allah'ım gerizekalılığımdan ve tekebbürümden dolayı beni bağışla, çok uzak bir yerden geldim ve daha önümde kat edilecek uzun bir yol var" diye dua ettim.

Bu esnada kelimelerle ifade edemeyeceğim bir hal yaşadım: Vücudumu, kalbimin bir noktasından çıktığını hissettiğim ve anlatmaktan aciz kaldığım bir dalga kapladı. Soğuk gibiydi; ilk etapta irkildim, vücuduma olan etkisinden ziyade garip bir şekilde duygularımı etkiledi ve görünür bir rahmetin varlığını hissettim. Bu rahmet sonra içime nüfuz ederek içimde kaynamaya başladı.

Sonra sebebini bilmeden ağlamaya başladım, gözyaşlarım aktıkça rahmet ve lütuftan harika bir gücün beni kucakladığını hissettim. Günahkar olmama rağmen, günahlarımdan utanç veya yaşadığım halden sevinç duyduğumdan dolayı ağlamıyordum. Sanki büyük bir set açılmış; içimdeki korku ve keder sel olup gidiyordu. Bu satırları yazarken kendi kendime diyordum: "Allah'ın rahmet ve mağfireti, sadece günahları affetmiyor, o aynı zamanda bir şifa ve bir sekinedir." Uzun bir süre başım eğik bir şekilde öylece dizüstü kalakaldım.

Ağlamam durunca, yaşadığım deneyimi akıl ile izah etmenin mümkün olmadığını anladım. Bu esnada idrak ettiğim en önemli husus ise, benim Allah'a ve namaza şiddetle muhtaç olduğum gerçeği oldu. Yerimden kalkmadan önce şu duayı yaptım:

"Allah'ım bir daha küfre girmeye cür'et edersem beni, o küfre girmeden önce öldür ve bu hayattan kurtar. Hata ve eksiksiz yaşamanın çok zor olduğunu biliyorum, ancak şunu yakinen biliyorum ki, bir tek gün dahi olsa Sensiz yaşamam ve Senin varlığını inkar etmem mümkün değil."

Namazda huşu için okuduklarımızı anlamak ve onlarla meşgul olmak önemli bir adımdır. Allah Resulü'nün(sav) ve ashabının okuyup da anlamadıkları, anlayıp da yaşamadıkları bir ayet gösterebilir miyiz? Öyleyse Resulullah'ın ümmeti olarak şimdi sıra bizde...

Haydi ilk kılacağımız namazda "Allahu Ekber"i anlamakla işe başlayabiliriz. Her gün bir kelime ve cümle bile öğrensek kendimize büyük iyilik etmiş oluruz.

Şimdi Bismillah deyip başlama zamanı...

Temiz Elbise ve
Güzel Kokuyla Namaza Dur

Namazda kimin huzurunda olduğumuzu düşünerek elbisemize de dikkat edeceğiz. Elbisemizin temiz ve tesettüre uygun olmasına çalışacağız. Temiz ve tesettürü sağlayan bir elbise ile namaz kılmak namazın farzlarındandır.

Her konuda olduğu gibi elbisenin temizliğinde de en güzel örneğimiz Efendimiz'dir(sav).

O(sav) insanların en temizi ve en güzel kokanıydı. İnsanlara rahatsızlık verecek kokulardan sakınır ve güzel kokular sürünürdü. Ashabını da uyarır ve soğan, sarımsak yiyen bizim namazgahımıza gelmesin, derdi.

Bu konuyu anlatırken Mehmed Zahid Kotku rahmetullahi aleyh şöyle bir uyarıda bulunur:

"Efendimizin(sav) bu uyarısına göre düşünelim, sigara bunlardan daha mı az kokuyor?

Sigara kokusunun verdiği rahatsızlık soğan ve sarımsaktan daha mı azdır?"

Günümüzde bazı kardeşler buna dikkat etmiyor. Caminin avlusuna kadar içerek geliyor ve caminin avlusunda sigarasını söndürerek aceleyle ağzını temizleyemeden cemaate yetişmeye çalışıyor. O nefes alıp verdikçe yanında duranları perişan ediyor.

Sigara içen kardeşlere öncelikle bırakmalarını ve bırakıncaya kadar da camiye gelirken içmemelerini tavsiye ederiz. Yoksa bu davranışlarıyla Efendimizi(sav), melekleri ve müslüman kardeşlerini üzdüklerini hatırlatırız.

Efendimiz(sav) mümkün oldukça beyaz giyinirdi. Beyaz kiri saklamayan ve temizliği en iyi sağlayan renktir. Her abdestle dişlerini misvaklar ağız temizliğine önem verirdi.

Rabbimizin şu emrini en güzel yaşayandı:

"Elbiseni (kendini, kişiliğini ve seni çevreleyeni her türlü kirden) arındır."[70]

Müslüman görüldüğünde Allah'ı hatırlatandır.

Gönlünün temizliği yüzüne ve elbisesine yansır.

Dilinden güzel sözler dökülür.

Rabbinin huzurunda olduğu bilinciyle yaşamaya çalışır.

Mescide giderken temiz elbiseyle gider.

İnsanları rahatsız etmeyecek şekilde, imkanı ölçüsünde güzel koku sürünerek namaza gider.

İnsanlar onunla bulunmaktan memnun olur.

Özü güzel, yüzü güzel ve sözü güzel insandır.

Kendisi temiz ve güzel olduğu gibi namaz kılacağı mekanı da temiz tutar.

Özünün güzelliği kullandığı ve bulunduğu mekana da yansır.

Rabbimizin şu emrini kendi nefsinde uygular:

---

70 Müddessir suresi, 4

"...İbrahim ve İsmail'e de: "İbadet kastıyla Kâbe'yi tavaf edenler, i'tikafa çekilenler, rükû ve secde edenler için Evim'i tertemiz yapın." diye emretmiştik."[71]

Çünkü o kendini Hz. İbrahim'in, Hz. İsmail'in ve Hz. Muhammed'in varisi olarak görür, onların varisi olarak yaşar. Onların getirdiği hakikatin varisidir. Bu anlayışı o kadar içselleştirmiştir ki takva elbisesini kuşanmıştır. Çünkü Rabbinin bu konudaki şu emrine amade olmuştur:

"Ey Ademoğulları! Size edep yerlerinizi örtecek bir giysi, giyinip süsleneceğiniz bir elbise ihsan ettik. Takva (Allah'ın emrine uygun hareket, haya ve iffetini koruma) elbisesi ise daha hayırlıdır. İşte bunlar Allah'ın ayetleri (lütfunun alametleri)ndendir ki belki bu sayede düşünüp öğüt alırlar."[72]

Takva, unuttuğumuz Kur'an terimlerinden biri oldu. Umrede kardeşlere takva elbisesinden bahsettiğimizde ertesi gün bir genç kardeşim dükkan dükkan dolaşarak bu elbiseyi aramaya başlamış. Ne kadar aradıysa bulamamış. Aramaktan ayakları şişmiş. Perişan halde geldi: "Hocam bahsettiğiniz bu takva elbisesi nerede satılır? Aramaktan perişan oldum ama hiçbir yerde bulamadım." dedi.

Takva elbisesi, elbiselerin en hayırlısıdır.

Allah'a karşı sorumluluk bilincini kuşanmaktır.

Allah görüyor bilinciyle giyinmektir.

Allah'ın ört dediği yerleri, Allah'ın tarif ettiği ve istediği gibi örtmektir.

Yüreğinde bu şuura sahip olmaktır.

Takva elbisemiz var mı üzerimizde? Ne dersiniz?

Kıyafetimiz imanımızı yansıtmalı.

Rabbimizin emrine uygun olmalı.

---

71 Bakara suresi, 125
72 A'raf suresi, 26

Efendimizin(sav) tavsiyelerini dikkate almalı.

Karşı cinsi tahrik etmemeli.

Rabbimizin örtmemizi emrettiği yerleri teşhir etmemeli.

Şeytanın işini kolaylaştıracak cinsten olmamalı.

Maalesef giyinme tarzımız imanımızı yansıtmıyor. Rabbimizin emrine uygun değil. Efendimizin(sav) tavsiyelerinden çok uzak. Cuma namazlarında karşılaştığımız manzara çok üzücü. Birçok genç kardeşimin giydiği pantolon rüku ve secdeye vardığında örtülmesi gereken yerleri açığa çıkarıyor. Namazın farzlarından biri avret yerlerinin örtülmesidir. Erkeklerin diz kapaklarının altından göbeğine kadar olan kısmın tamamen örtülmesi ve altını göstermemesi gerekir. Maalesef düşük belli pantolonlar bu şartı karşılamıyor.

Peki namazda bu şekilde giyinmek uygun değilse namazın dışında uygun olur mu?

Namazda bu kıyafete Rabbimiz razı olmazsa, namaz dışında razı olur mu?

Hanımların kıyafetlerindeki ölçü, eller ve yüz haricinde tüm vücudun örtülmesi ve altını göstermeyecek kalınlıkta olması şeklindedir.

Tesettür, "bak bana", "gör beni" dedirtecek cinsten değildir. Allah görüyor bilinciyle O'nun istediği gibi giyinmektir.

Namazda böyleyken namaz dışında farklı olması asla düşünülemez.

Allah bizi her yerde görüyor, biliyor ve işitiyor.

Elbisemizin temizliği bizim ve bizimle birlikte olanların namazlarına etki eder. Ter kokulu bir elbise ve kirli bir çorapla namaz kılan biriyle birlikte olduğunuzu düşünebiliyor musunuz?

Allah güzeldir, güzel olanı sever.

Kibre sebep olmadığı sürece kuluna verdiği nimeti üzerinde görmeyi de sever.

Fakat modanın kullarını ve gösteriş budalalarını ise sevmez.

İlahi Reçete

Konuyla ilgili son söz Rabbimizin buyruğudur:

"Ey Ademoğulları! Her mescid(de yani secde edeceğiniz zaman ve mekan) da ziynet (olan temiz ve güzel elbise)nizi alın (giyinin). Yiyin, için, fakat israf etmeyin. Çünkü Allah israf edenleri sevmez."[73]

---

73   A'raf suresi, 31

Namazını Vaktinde ve Cemaatle Kıl

Müslüman namaz merkezli bir hayat yaşar. Güne namazla başlar, gün içinde hayatın koşuşturmalarına namazla ara verir ve güne son noktayı namazla koyar. Geceye namazla adım atar ve geceyi namazla diriltir.

Bu yaşam tarzını Efendimizin(sav) hayatında ve Onun yetiştirdiği altın nesilde görüyoruz. Yaşadığımız çağ haz ve hız çağı olduğu için her şey yer değiştirmiş. Müslümanlar da bu sele kapılarak hayatlarının merkezine işlerini koymuşlar. Daha doğru bir ifadeyle "dünya" merkezli bir hayat tarzı yaşanmaya başlamış. Halbuki müslüman ahiret merkezli bir hayatın adamıdır. Önceliklerimiz değişince işlerimizin arasında namaza yer aramaya başladık. Hatta büyük bir kesim gençliğinde namaz kılmıyor, yaşlandıktan sonra kaza namazı derdine düşüyor. Ülkemizde yaşayanların yüzde yetmişi namaz kılmıyor. Bu akıl alacak bir durum değil. Hem müslüman olacaksın hem de inandığın Allah'a şükrünü namazla sunmayacaksın.

Bu koşuşturmada namaz kılanlar da yasaksavar kabilinden kılıveriyor. Öyle oluyor ki ne kıldığını ve ne kadar kıldığını bile fark edemeyebiliyor.

Bu sarhoşluktan nefsimizi kurtarmalıyız. Bunun için ezana on dakika kalaya telefonumuzun alarmını ayarlamalı ve hazırlıklarımızı yapmalıyız. Mümkünse ezan okunmadan camiye gitmeliyiz. Ezanı camide dinlemeliyiz. Müezzinin söylediklerini tekrar etmeliyiz.

Ezandan sonra ezan duasını okumalıyız. Cemaatle beraber vaktin namazını kılmalıyız. Namazdan sonra tesbihimizi çekmeli ve duamızı yapmalıyız. Ondan sonra rızkımızı aramak için işimize koyulabiliriz. Bundan sonra helal rızık için yapacağımız çalışma ibadet olur. Namazdaymış gibi sevap alırız. Namaz arasındaki çalışmalarımıza Allah[cc] ibadet sevabı verir.

"Allah" merkezli bir hayatımız varsa,

İşlerimiz bereketlenir.

Gönlümüz sevinçle dolar.

Karşılaştığımız sıkıntıları kolaylıkla atlatırız.

Rabbimize karşı sorumluluğumuzu yerine getirmenin rahatlığı her halimize yansır.

Hayatın keskin rüzgarları bize zarar veremez.

Vaktinde kılanan namaz, o an yapacağımız en hayırlı ameldir.

Allah bu halimizden razı olur.

Cennet bizi arzular, cehennem bizden uzak olur.

Melekler dua eder.

Bağışlanmamız için Allah'a yalvarırlar.

Yediklerimiz bizimle olmaktan ve ibadet mertebesine yükselmekten dolayı mutlu olurlar.

Bize rızık olarak yaratılanlar bizimle olmak için can atarlar.

Rızkımız gölgemiz gibi bizi takip eder.

Bereketin şahidi oluruz.

Ailemizde sevgi ve muhabbet olur.

Aile fertleri birbirine karşı sevgi ve saygıda kusur etmez, herkes kendine düşen vazifesini bilir, üşengeçlik göstermez.

Erkek hanımını Allah'ın emaneti bilir.

Emanet sahibini memnun edecek şekilde onu memnun eder; eşine karşı vazifelerinde kusur etmez.

Hanım erkeğine itaati ibadet bilir. Eşini memnun etmeyi Rabbini memnun etmenin vesilesi bilir.

Evini cennet yurdu yapar.

Çocuklar cennet meyvesi tadı verir; büyüklerine itaatlidir, söz dinlerler.

Büyüklerine isyanı Allah'a isyan bilirler.

Onları razı etmeyi Allah'ı razı etmek olarak görür.

Bütün bunlar hayal değil. Allah'a güzel kul olmanın, namaz merkezli, şuurlu bir yaşam tarzının meyveleridir. Hayat bizi sıkıyorsa, bizim için yaşanmaz bir hal almışsa ve boğulacak gibi oluyorsak mutluluk kaynağı ile aramız açılmış demektir. Oradan gelecek manevi akımın mutluluk kanalları tıkanmıştır. Suçluyu dışarıda değil kendi içimizde arayacağız. En önemlisi de Allah'a kul olmanın, O'nu her şeyden çok sevmenin ve O'na itaat etmenin somut ifadesi olan namazı vaktinde ve cemaatle kılacağız.

Şimdi sözlerimizi Efendimizden^(sav) bize nakledilenlerle taçlandıralım:

Ma'dan İbnu Ebi Talha el-Ya'meri^(ra) anlatıyor: "Resulullah'ın^(sav) azadlısı Sevban'a^(ra) rastladım. Kendisine:

"Bana bir amel söyle de onu yapayım. Allah da onun sayesinde beni cennetine koysun" dedim.

Veya şöyle demişti:

"Dedim ki: "..Allah nezdinde en hayırlı ameli bana bildir."

Sevban sükut etti. Sonra ben tekrar aynı şeyi sordum. O yine sükut etti. Ben üçüncü sefer sordum. Sonunda dedi ki:

"Aynı şeyleri ben de Resulullah'a^(sav) sormuştum. Bana şu cevabı vermişti:

Çokça secde yapman gerekir. Zira sen secde ettikçe, her secden sebebiyle Allah dereceni artırır, günahlarını döker."

Ma'dan der ki:

"Sonra Ebu'd-Derda'ya geldim. Aynı şeyi ona da sordum. O da Sevban'ın bana söylediğinin aynısını söyledi."[74]

Demek ki Allah^(cc) katında en hayırlı amel secdelerimizi çoğaltmakmış. Hem günahlarımızın dökülmesine hem de derecemizin yükselmesine vesileymiş. Bunu ikram eden Rabbimize binlerce hamdolsun.

Hz. Ali İbnu Ebi Talib^(ra) anlatıyor: "Resulullah^(sav) bana şu tembihte bulundu:

"Ey Ali, üç şey vardır, sakın onları geciktirme:

Vakti girince namaz, (hemen kıl!)

---

74 Müslim, Salat 225, 226

Hazır olunca cenaze, (hemen defnet!)

Kendisine denk birini bulduğun bekar kadın (hemen evlendir!)"[75]

Ümmü Ferve[ra] –ki Resulullah'a[sav] biat edenlerden biri idi– anlatıyor: "Resulullah'a[sav], "Hangi amel efdaldir?" diye sorulmuştu, şu cevabı verdi:

"İlk vaktinde kılınan namaz!"[76]

Hadis-i şeriflerdeki hakikati Cüneyt Suavi bir öyküsünde çok güzel canlandırmış.

"Kabus"

Çocukluğundan beri dar mekanlardan sıkılır ve bu tür yerlerden feryat edercesine uzaklaşırdım. İleri yaşlarda bunun bir hastalık olduğunu anlamış, fakat bu illetten bir türlü kurtulamamıştım. Oysa ki o dar mekanlara, şimdi ister istemez girecektim.

Beni sarıp sarmalamışlar ve uzunca bir tabuta yerleştirmişlerdi. Çevremde dolaşanların seslerini gayet iyi duyuyor ve gözlerim kapalı olmasına rağmen, her nasılsa onları görebiliyordum.

"Genç yaşta öldü zavallı," diyorlardı. Halbuki yapacak ne kadar çok işi vardı.

Gerçekten de birçok işim yarım kalmıştı. Mesela oğluma iyi bir işyeri açamamış, araba ile renkli televizyonunun taksitlerini henüz bitirememiştim. Büyük bir firma kurup dostlarımı orada toplamak da artık hayal olmuştu. Üstelik kış çok yaklaştığı halde odun kömür

---

75 Tirmizi, Salat 127
76 Tirmizi, Salat 127

işini halledememiş ve çatının akan yerlerini aktaramamıştım.

Yarıda kalan işlerimi arka arkaya sıralarken, kulaklarımı çınlatan bir sesle irkildim. Sanki mikrofonla söylenen bu ses beynimin en ücra köşelerinde yankılanıyor ve: "Geçti artık geçti" diyordu.

İçimden "Keşke geçmemiş olsaydı" diyordum. Nereden başıma gelmişti o kaza bilmem ki? Halbuki ne kadar da iyi araba kullanırdım.

Olup bitenleri hatırlamaya çalışırken, dostlarımın çevremi sardığını ve içinde bulunduğum tabutun kapağını örtmeye çalıştıklarını fark ettim. Onları engellemek için avazım çıktığı kadar bağırmak ve çırpınmak istediğim halde ne kımıldayabiliyor, ne de bir ses çıkartabiliyordum. Biraz sonra koyu bir karanlıkta kalmış ve gözlerimi, tabutun tahtaları arasından sızan ışığa çevirmiştim. Dehşet içinde:

"Aman Allah'ım!" dedim. "Ne olacak şimdi halim?"

Korkudan hiçbir şey düşünemiyordum. Bu arada omuzlara kaldırılmış ve sallana sallana götürülmeye başlanmıştım. Dışarıdaki seslerden yağmur yağdığı belli oluyor ve su damlacıklarının sesi, tabutumun gıcırtısına karışıyordu.

Cenaze namazı için camiye gidiyor olmalıydık.

Cami deyince aklıma gelmişti. Çok yakınımızda olmasına ve her gün beş defa davet edilmeme rağmen, bir türlü vakit bulup gidememiştim. Ama her zaman söylediğim gibi elli yaşına gelince namaza başlayacak ve herkesin şikayet ettiği kötü alışkanlıklarımı terk edecektim.

Evet evet, şu kaza olmasaydı, ileride ne iyi bir insan olacaktım.

Daha önceden duyduğum ve nereden geldiğini kestiremediğim ses:

"Geçti artık geçti," diye tekrarladı. "Bitti artık"

Biraz sonra cenaze namazım kılınmış ve tekrar omuzlara kaldırılmıştım. Mahallemizdeki kahvehanenin önünden geçerken, her gün iskambil oynadığımız arkadaşlarımın neşeli kahkahalarını işitiyor ve "Herhalde ölüm haberimi duymamış olacaklar" diye düşünüyordum. Sesler iyice uzaklaştığında, eğik bir şekilde taşındığımı hissederek mezarlığa çıkan yokuşu tırmandığımızı anladım. Şiddetle yağan yağmurun tabuttaki çatlaklardan sızarak kefenimi yer yer ıslattığının da farkındaydım. Buna rağmen dışarıda konuşulanlara kulak verdim. Dostlarımın bir kısmı piyasadaki durgunluktan bahsediyor, bir kısmı da milli takımın son oyununu methediyordu. Tabutumu taşıyan bir diğeri ise yanındakinin kulağına fısıldayarak:

"Rahmetlinin tersliği, öldüğü günden belli," diyordu. "Sırılsıklam olduk birader."

Duyduklarım herhalde yanlış olmalıydı. Yoksa bunlar, uykularımı onlar için feda ettiğim dostlarım değil miydi?

Yolculuğum bir müddet sonra bitmiş ve tabutum yere indirilmişti. Kapak tekrar açıldı ve cansız vücudumu yakalayan kollar, beni dibinde su toplanmış olan bir çukura doğru indirdi.

Boylu boyunca yattığım yerden etrafıma baktım.

Aman Allah'ım!.. Bu kadar değil miydi?

O ana kadar buraya gireceğimi neden düşünmemiştim?

Sessiz feryatlarımı kimseye duyuramıyor ve dostlarımın, üzerimi örtmek için yarıştığını hissediyordum.

Tekrar zifiri karanlıkta kalmış ve bütün acizliğimle dua etmeye başlamıştım.

"Ya Rabbi," diyordum. "Bir fırsat daha yok mu, senin istediğin gibi bir kul olayım. Ve kabrimi, cennet bahçelerinden bir bahçeye çevireyim."

Aynı ses, her zamankinden daha şiddetli olarak: "Geçti artık geçti," diye tekrarladı. "Her şey bitti artık."

Mezarımı örten tahtaların üzerine atılan toprakların çıkardığı ses gök gürültüsünü andırıyor ve bütün benliğimi sarsıyordu.

Son bir gayretle yerimden fırlayarak gözlerimi açtım. Odamdaki rahat yatağımda yatıyor, fakat korkunç bir kabus görüyordum. Bitişik dairede oturan doktor arkadaşım beni ayıltmaya çalışarak:

"Geçti artık geçti," diye bağırarak duruyordu. "Geçti bak, hiçbir şeyin kalmadı."

Yattığım yerden yavaşça doğruldum. Terden sırılsıklam olmuş ve sanki yirmi kilo birden vermiştim. Dışarıda sağnak halinde yağmur yağıyor, şimşek ve gök gürültüsünden bütün ev sarsılıyordu. Etrafımdakilerin şaşkın bakışları arasında kendimi toplamaya çalışırken:

"Ya Rabbi, Sana zerrelerim adedince şükürler olsun," diyordum. "İyi bir kul olmak için ya bir fırsat daha vermeseydin?"

Konuyla alakalı Efendimizden^(sav) onlarca uyarı bulabiliriz. Arif olana, söz dinleyene ve derdi salih amel olana bu kadar kafidir.

Mehmed Zahid Kotku'nun ^(r.aleyh) bir sözünü hatırlatalım:

"Evladım yazmak kolay, söylemek kolay. Ama yaşamak zordur."

Aslolan öğrendiklerimizi yaşayabilmektir. Rabbim öğrendiklerimizle yaşayabilmeyi nasip eylesin.

Şimdi de cemaatle namaz kılmakla ilgili Efendimizin^(sav) mübarek uyarılarına kulak verelim:

Ebu Said el-Hudri^(ra) anlatıyor: "Resulullah^(sav) buyurdular ki:

"Ezanı işittiğiniz zaman, müezzinin söylediğinin mislini tekrar edin!"[77]

Hz. Ebu Hüreyre^(ra) anlatıyor: Resulullah^(sav) buyurdular ki:

"Kişinin cemaatle kıldığı namazın sevabı evinde ve çarşıda (iş yerinde) kıldığı namazından yirmi beş kat fazladır. Şöyle ki, abdest alınca güzel bir abdest alır, sonra mescide gider, evinden çıkarken sadece mescid gayesiyle çıkmıştır. Bu sırada attığı her adım sebebiyle bir derece yükseltilir, bir günahı affedilir. Namazı kıldı mı, namazgahında olduğu müddetçe melekler ona rahmet okumaya devam ederler ve şöyle derler:

"Ey Rabbimiz buna rahmet et, merhamet buyur."

"Sizden herkes, namaz beklediği müddetçe namaz kılıyor gibidir."[78]

İbn Ömer'den^(ra) kaydettiği bir diğer rivayette şöyle denmiştir:

"Resulullah^(sav) buyurdular ki:

---

77   Buhari, Ezan 7
78   Buhari, Ezan 30

"Cemaatle kılınan namaz, ayrı kılınan namazdan yirmi yedi derece üstündür."[79]

Efendimizin[sav] bu teşvikleri namazları cemaatle kılmamızı sağlamak içindir. Allah'ın rahmeti cemaatin üzerinedir. O'nun fiili uygulamasında namazlar hep cemaatle kılınmıştır. Cemaate engel olabilecek en iyi mazeret savaştır. Bedir savaşında Nisa suresinin yüz bir ve devamında gelen ayetlerde Rabbimizin tarif ettiği şekilde Efendimiz[sav] ve ashabı namazı cemaatle kılmıştır. Namaz savaşta kazaya bırakılmazsa hangi bahanemiz namazı kazaya bırakmaya mazeret olabilir? Namaz savaşta cemaatle kılınırsa bugün hangi mazeretimiz namazlarımızı cemaatle kılmaya mani olabilir?

Namazlarda asıl olan cemaatle kılınmasıdır. Efendimizin[sav] kavli ve fiili uygulaması bunu gösteriyor.

Efendimiz[sav] Bedir savaşında namazı Rabbimizin emri üzere cemaatle kılmıştır. Onun yolunu izleyen dedelerimiz Çanakkale savaşında namazlarını cemaatle kılmaya çalışmışlardır. Hatta Elli Yedinci Alay cepheye gitmeden çamaşırlarını değiştirmiş, mataralarındaki son damlasıyla abdest almış ve kendi cenaze namazlarını kılarak cepheye gitmişler, o alaydan bir daha geri dönen olmamıştır.

Yine Filistin davasının simge ismi Şeyh Ahmed Yasin İsrail'in hedefindeki adam olmasına, felçli ve başkalarının yardımıyla ihtiyaçlarını gidermesine rağmen namazlarını cemaatle kılmıştır. Yüce Rabbine kavuşması da sabah namazı çıkışında caminin önünde olmuştur.

Bütün bu örnekleri okuduktan sonra namazlarımızı cemaatle kılmamıza hangi işimiz mazeret olabilir? Kahramanlarımızı unutulmaz kılan onların namaz hassasiyeti olmuştur.

İşte onlardan biri de büyük mücahid Şeyh Şamil'dir.

---

79 Buhari, Ezan 30; Müslim, Salat 272

Kafkas müslümanlarının mücahid ve kahraman lideri Şeyh Şamil, Rus ordularıyla otuz yıl kadar mücadele etmiş; o savaşlardan biri olan Gimri Savaşı'nda çok ağır yaralanmıştı.

Anlatıldığına göre Şamil'in yaralanma hadisesi şöyle gerçekleşmiş:

Tüfek ve kılıçlarla yapılan bu çetin savaşta, düşman askerlerden biri bir taşın arkasında saklanarak pusu kurar. Fırsatını bulduğu anda da, üç ağızlı ve oluklu süngüsünü olanca şiddetiyle Şamil'in göğsüne saplar. Göğsüne saplanan tüfeğin namlusu uzun olduğundan bedeni geriye doğru itilmiştir. Bu halde kendi kılıcının düşmana erişemediğini gören Şamil, derhal göğüsüne saplanan süngünün kabzasına yapışarak, bütün kuvvetiyle kendine doğru çeker. Mesafe kısalır, fakat süngünün ucu da kahraman Şamil'in sırtından çıkmıştır.

Bu arada mesafesi kısalıp kılıç menziline giren düşman da, Şamil'in bir kılıç darbesiyle ölmüştür. İmam Şamil, son bir gayretle süngü ve tüfeği göğsünden çıkarıp atmış, kurşun yağmuru altında gecenin karanlığından da yararlanarak, yakınlardaki mağaralara doğru büyük bir çaba ile yol almaya başlamıştır.

Şamil, ormanlar içindeki mağarada kendi adamları tarafından, bitkilerden elde edilmiş ilaçlarla üç gün gizli tedavi gördükten sonra, sapa bir dağ köyüne götürülmüş, burada yirmi beş gün kendini bilmeden, adeta ölü gibi yatmıştır.

Şamil'in şefkatli anası da, bu süre içinde geceli gündüzlü oğlunun başında beklemiştir.

> Nihayet Şamil, yirmi beş gün sonra kendine
> gelip gözlerini açmış ve başında bekleyen anasına
> telaşla sorar:
>
> "Anam, namaz vakti geçti mi?"
>
> Ne diyeceğini şaşıran kadıncağız:
>
> "Zararı yok yavrum, kaza edersin," der.
>
> Halbuki o ölüm uykusu, yüzyirmibeş namaz vakti
> devam etmiştir.[80]

Aşağıdaki hadis-i şerifte geceyi ihya etmenin en kolay yolunun yatsı ve sabah namazını cemaatle kılmak olduğu bildiriliyor. Bu müslümanca yaşamanın delilidir. Safını ortaya koymadır. Buna münafıkların güç yetiremeyeceğini aşağıda gelecek hadis-i şeriflerde Efendimiz[sav] haber veriyor.

Bu hadisleri okuyunca bazen şöyle bir itiraz geliyor:

"Ben yatsı ve sabah namazında cemaate gidemiyorum. Ben münafık mıyım?"

Bu hadislerimizi nefsimize okuyarak üzerimize alınmamız çok güzel. Hastalığımızın teşhis edilmesine yardımcı olur. Hastalık teşhis edilirse tedavisi de kolay olacaktır. Bizim anladığımız şudur ki yatsı ve sabah namazında mazeretsiz olarak cemaate gitmemek sizin münafık olduğunuz anlamına gelmez. Fakat münafıklık virüsü bulaşmış demektir. Bunları yapa yapa başka münafıklık hastalıkları da bulaşır. Allah korusun tevbe ederek bu yanlıştan vazgeçilmezse Allah Resulü'nün[sav] yolundan ayrılmış oluruz. O'nun yolundan ayrılanların geleceği ise karanlıktır. Evet, sabah ve yatsı namazında cemaate gelemeyenlere münafık diyemeyiz, fakat münafıklar bu iki vakitte cemaate gelemezdi.

---

80   Tarık Mümtaz Göztepe, İmam Şamil

Rabbim cümlemizi bu karanlık yoldan korusun inşallah.

Hz. Osman^(ra) anlatıyor: "Resulullah'tan^(sav) işittim' şöyle diyordu:

"Kim yatsıyı bir cemaat içinde kılarsa sanki gecenin yarısını ihya etmiş gibi olur, kim de sabah namazını bir cemaat içinde kılarsa sanki gecenin tamamını namazla geçirmiş gibi olur."[81]

Şimdi gelen uyarıya bakar mısınız?

Gözleri görmeyen bir sahabiye Efendimiz^(sav) "Ezanı duyuyorsan cemaate geleceksin" buyuruyor.

Bu cevap karşısında bizim bütün mazeretlerimiz mazeret olmaktan çıkıyor. Ve Efendimizin^(sav) cemaate gelmeyenlerle ilgili düşüncesi tüylerimizi diken diken ediyor. Düşmanına bile merhamet eden, vücudunu kan revan içinde bırakanlara beddua etmeyen o rahmet ve şefkat peygamberi "Cemaate gelmeyenlerin evlerini yakasım geliyor" diye tepkisini ortaya koyuyor.

Bütün bu bilgilerden sonra hala hatada ısrar etmeyiz herhalde.

Bundan sonra yapmamız gereken ilk vakitte cemaate katılmaktır. İşimiz her vakitte camiye gitmeye müsait değilse iş yerimizde namaz kılan arkaşlarla cemaat yapalım. İş çıkışı hiç değilse yatsı ve sabah namazlarında camiye cemaate gidelim. Diyelim ki özellikle büyük şehirlerde iş çıkışı trafik yoğunluğu sebebiyle yatsı namazına camiye yetişemedik bu sefer evde cemaat yaparak namazlarımızı kılalım. Ama mutlaka sabah namazında camiye gitmeye çalışalım.

Cemaatle namaz kılmak imanımızın kalitesini ortaya koyar.

Rabbimizin sevgisini celbeder.

Rızkımızın artmasına vesile olur.

Hz. Ebu Hüreyre^(ra) anlatıyor: "Resulullah'a^(sav) âmâ bir zat gelerek:

---

81 Müslim, Mesacid 260

"Ey Allah 'ın Resulü! Beni mescide kadar getirecek bir rehberim yok!" diyerek Aleyhissalatu Vesselam'dan namazı evinde kılmak için) ruhsat istedi. (O da izin verdi.) Adam geri dönünce, Resulullah⁽ˢᵃᵛ⁾ onu çağırtarak:

"Ezanı işitiyor musun?" diye sordu. Adam: "Evet!" deyince: "Öyleyse icabet et" dedi (ve evde kılmaya izin vermedi).⁸²

Ebu Hüreyre⁽ʳᵃ⁾ anlatıyor: Resulullah⁽ˢᵃᵛ⁾ buyurdular ki: "Münafıklara en ağır gelen namaz yatsı namazıyla sabah namazıdır. Eğer bu iki namazdaki hayrın ne olduğunu bilselerdi, emekleyerek de olsa onları kılmaya gelirlerdi. Nefsimi kudret eliyle tutan Zat'a kasem olsun! Ezan okutup namaza başlamayı, sonra halkın namazını kıldırması için yerime birini bırakmayı, sonra da beraberlerinde odun desteleri olan bir grup erkekle namaza gelmeyenlere gitmeyi ve evlerini üzerlerine yıkmayı düşündüm."⁸³

İbnu Mes'ud⁽ʳᵃ⁾ anlatıyor:

"Ben (cemaatimizi tetkik edince) gördüm ki, namaz(ı beraber kılmak)tan, sadece herkesçe malum münafıklarla hastalar geri kalmaktaydı. Öyle ki iki kişinin arasında yürüyebilecek durumda olan hastalar bile namaz için (mescide) geliyordu." İbn Mes'ud devamla dedi ki:

"Resulullah⁽ˢᵃᵛ⁾ bize Sünen-i Hüda'yı göstermişti. Sünen-i Hüda'dan biri de içerisinde ezan okunan mescitte namaz kılmaktı."⁸⁴

Ebu Davud'daki rivayette şu ziyade var: "...Sizden her birinizin evinde mutlaka bir mescid var. Eğer namazı evlerinizde kılıp mescidlerinizi terk ederseniz Peygamberinizin⁽ˢᵃᵛ⁾ sünnetini terk etmiş olursunuz. Peygamberinizin sünnetini terk edince de küfran-ı nimete düşmüş olursunuz."

---

82 Müslim, Mesacid 255
83 Buhari, Ezan 29
84 Müslim, Mesacid, 655

119

Bütün bunlardan sonra özetle mezhep imamlarımızın görüşlerini bakalım. Hanefi ve Malikilere göre, cuma namazı dışındaki farz namazları cemaatle kılmak, mazereti olmayan, gücü yeten akıllı erkekler için sünnet-i müekkededir. Şafiilere göre, farz namazlar için cemaate devam etmek farz-ı kifayedir. Hanbelilere göre namazları cemaatle kılmak farz-ı ayndır.

Cemaatle kılınan namaz kabul garantilidir.

Sevabı büyüktür.

Günahların affına vesiledir.

Ahiretteki makamımızın derecesini yükseltir.

Şeytanın ayartmalarından korur.

Yalnız olmadığımızı gösterir.

Büyük bir ailemiz olduğu bilincini kazandırır.

Sıkıldığımızda sığınağımız olur.

Dostların mutluluğu, düşmanın korkulu rüyası olur.

Müslümanlar özellikle sabah namazlarında, bayram ve cuma namazı gibi cemaate katılırlarsa bu düşmanın gönlüne korku salar.

İnançlarımıza ne kadar bağlı olduğumuzu gösterir.

Ümmet olarak yaşadığımız siyasal ve sosyal sıkıntılardan kurtulduğumuz gün, sabah namazlarımızın bayram namazları gibi kalabalık olduğu gündür.

Rabbimiz bu bilincimizi kuvvetlendirsin.

Bizlere uykumuza hükmedecek bir bilinç nasip eylesin.

Camilere cemaate katılma konusunda herkese büyük görev düşüyor. Kanaat önderlerimiz önder olacak, örnek olacak.

Cemaate devam ederek takip edenlerini cemaate alıştıracak.

Alimlerimiz cemaatte ön saflarda yerini alacak.

Fikir adamlarımız bunun önemini anlatacak.

Davası olan siyasilerimiz siyasi çalışmalarını cemaatle namaza göre ayarlayacak.

İş adamlarımız bu bilincin gelişmesi için yapılan hizmetlere maddi olarak destek olacak.

Medyamız cemaat şuurunu işleyecek.

Bununla ilgili yapılan güzel çalışmaları haber yapacak, yaygınlaşması için gayret edecek.

Bu bilincin gelişmesi için konuyla ilgili kısa film ve reklam çalışmalarına ağırlık verecek.

Sosyal medya en verimli şekilde tüm müslümanlarca cemaatle namaz için seferber edilecek.

Tarihi misyonu olan büyük camilerimizde gençlerin bilinçlenmesi ve katılımı için özel programlar yapılacak.

Gençler şeytana ve dostlarına karşı yalnız olmadıklarını görecek.

Bunlar yapıldığı gün, müslümanların yeryüzünde yeniden hakim güç olduğu gündür.

Düşmanlarımızın sindiği, dostlarımızın kendini güvende hissettiği gündür.

Ülkemizde barışın sağlandığı gündür.

Gençlerin birbirini muhabbetle kucakladığı gündür.

Büyüklerimizin yüzlerinde tebessümün hakim olduğu gündür.

İmamlarımızın hizmette coştuğu gündür.

Ve daha niceleri...

Çünkü Allah'ın rahmeti, yardımı, desteği ve zaferi cemaatin üzerinedir.

Namaz Bilincini Artıran Kitaplar Oku

Namaz kılamamanın en önemli sebeplerinden biri bilinç eksikliği yani "Niçin namaz kılmalıyım?" sorusuna cevap bulamamaktır. Aklı başında olan bir müslüman asla namazını terk edemez. Kılmıyorsa ya imanı tehlikededir ya da bu konuda bilgi eksiği vardır. Bunu gidermenin yolu günahlara tevbe etmek ve bilgi eksikliğini gidermektir.

Kıldığı halde namazdan lezzet alamamanın sebebi de budur. Öncelikle bilerek ya da bilmeyerek işlediğimiz günahları terk edip Rabbimizden özür dileyeceğiz. Sonra namaz bilincini kazanmamıza yardımcı olacak kitapları okuyacağız. Okudukça namazı keşfedeceğiz. Keşfettikçe tadını almaya başlayacağız. Tadını almaya başlayınca namaz gözümüzün nuru, gönlümüzün miracı olacak. Yolunu gözlemeye başlayacağız. Sıkıldığımızda namazla rahatlayıp sudaki balık gibi hayat bulacağız.

Namaz bilincimizi artıracak birbirinden güzel eserler var. Onlardan birkaçını okumalıyız. Hatta namazın hakikatini keşfetmiş büyüklerimizin eserleri yolumuzu açacaktır. Onların duydukları hissiyatı biz de duymaya başlayacağız.

Özellikle İmam Gazali, Mevlana Celaleddin-i Rumi, Şah-ı Nakşibendi ve Bediüzzaman Said Nursi...

Okudukça ne kadar eksiğimiz olduğunu göreceğiz. Namazın sırtımızda bir yük gibi durmasının sebebi bilinç eksiğimizdir.

Tarsus'ta imamlık yapan Adnan Gök hoca "Namaz Dirilişe Çağrı" isimli kitabımızı okuduktan sonra şöyle bir mesaj gönderdi:

"Sevgili hocam on dokuz yıldır imamlık yapıyorum. "Namaz Dirilişe Çağrı" isimli kitabınızı okuyunca namazımı mercek altına aldım. Gördüm ki namazı sadece bir görev olarak kılıyormuşum. Onun hakikatini keşfedememişim. Sırtımda yük gibi duruyordu. Kendimi namaz kıldırma memuru olarak gördüm. Halimden utandım. Kitabı dördüncü defa okumaya başladım. Namaz sırtımda bir yükken şimdi sevdaya dönüştü. İki yüz elli tane aldım cemaatime ve sevdiklerime okutma seferberliğine başladım. Allah sizden razı olsun."

***

Yine bu kitabımızı okuyup namaza başlayan yüzlerce kardeşimiz var. Onlardan gelen itiraflardan birkaçı şöyledir:

"Gözyaşlarıyla okudum."

"Bitirdikten sonra geçmiş yıllarıma yandım."

"Gece on ikide başladım. İki buçukta bitti. Sabah namazını kaçıracağım diye eşimle sabah namazına kadar nöbet tuttuk."

"Ailemizden altı kişi namaza başladı."

"Hocam bu kitap yasaklanmalı, yan etkisi var namaza başlatıyor."

"Hayatımda ilk defa bir kitabı bitirdim. Şimdi yanımdan hiç ayırmıyorum. Misafirliğe gittiğim yerlere hediye olarak götürüyorum."

Sadece şeklen namaz kılmak yetmiyor, öncelikle namazla ilgil ayetleri ve hadis-i şerifleri, sonra da konuyla ilgili kitapları okumalıyız. Ancak bu şekilde namaz bilincimizi artırabiliriz.

Bize gelen mektuplar bunun canlı şahidi oluyor.

Okuyacacağız.

Okuduklarımızı yaşamaya çalışacağız.

Yaşadıkça namazın hakikatini keşfedeceğiz.

Yaşadıklarımızı sevdiklerimizle paylaşacağız.

Sadece salih kul olmak yetmez. Aynı zamanda muslih kul olacağız.

Bugünün diliyle "pasif iyi" olmak yetmez, "aktif iyi" olacağız.

Rabbimizin bizden istediği budur.

Namaz Davasına Hizmet Et

Ülkemizde namaz garip kalmıştır...

Müslümanlar ellerindeki hazinenin farkında değil. Camilerimiz öksüz ve yetim. Sabah namazında cemaate katılım, manevi halimizin resmidir. Camilerimizin cemaatsiz oluşu bizim gafletimizin göstergesidir. Namaz davasına hizmet etmek kurtuluşumuzun en önemli vesilesidir. Çünkü namaz imanın meyveleri olan bütün ibadetleri içerisinde barındırır. İçinde hepsinden bir nüve vardır. Namaza hassas olan diğerlerine de hassas olur.

Namaz Rabbimizle ilişkimizin resmidir aynı zamanda. Allah katındaki yerimizi merak ediyorsak namazımıza bakacağız. Namaza verdiğimiz değer Allah'a verdiğimiz değeri gösterir. Çünkü namazın sahibi Allah'tır. Namaza çağıran O'dur. İcabet etmediğimizde O'nu reddetmiş oluruz. Sadece bunu düşünsek kâfidir. Namaza çağıran kim, gitmediğimizde kimi reddetmiş oluyoruz?

Nefsimizi ve sevdiklerimizi hayırla meşgul edelim diye namaz kardeşliği başlattık. Namaz kardeşlerimize en güzel mekânlarda ve en makbul zamanlarda dua ediyoruz. Kâbe'de, Arafat'ta, Mescid-i Nebi'de ve özel anlarımızda. Namaz kardeşliği dua kardeşliğidir aynı zamanda.

Peki namaz kardeşi olabilmenin şartları nelerdir?

1- Öncelikle beş vakit namazımızı vaktinde ve mümkünse cemaatle kılmaya çalışacağız. Kaza borçlarımızı ödeyeceğiz.

2- Efendimizin(sav) kıldığı sünnetlere devam edeceğiz. Onun devam ettiği ve tavsiye ettiği diğer armağan namazları kılacağız.

3- Namaz bilinci kitaplarından en az üç tanesini okumaya çalışacağız.

4- Ailemizden, akrabalarımızdan, iş yerimizden, okulumuzdan, sevdiğimiz arkadaşlarımızdan vs hiç olmazsa senede bir kardeşimizin namaza başlamasına, namazı sevmesine ve namaz kardeşi olmasına vesile olacağız.

Uygulanabilir olması için kısa tuttuk namaz kardeşliği taleplerimizi. Elhamdülillah katıldığımız seminerlerde bu projemizi açıkladığımızda çok güzel katılımlar oluyor. Hocam beni de kardeşleriniz arasına yazar mısınız diyen gençlerimiz ve çocuklarımız geleceğe ait ümitlerimizi kuvvetlendiriyor.

Namaz kardeşlerimden Kütahya Tavşanlı'dan Yavuz Doğanay bu kervanın öncülerinden. Kendisi ve annesi "Namaz Dirilişe Çağrı" kitabımızı okuduktan sonra okutarak namaz kardeşlerimizi artıralım diye kolları sıvamışlar. Ve "Otuz namaz kardeşimiz oldu. Şimdi iki koldan çalışıyoruz hedefimiz en az yüz namaz kardeşi edinmek" diyerek hedeflerini belirlediler.

Çorum İmam Hatip Lisesi öğrencileri, öğretmenleri Dilaver Çevik ile birlikte muhteşem bir çalışma başlattılar. Önce kendi okullarında sonra da çevre okullarda namazı sevdirmek için konferans, seminer ve sohbetler düzenlediler. Namaz kitaplarından öğrenciler arasında ödüllü bilgi yarışması yaptılar. Öğrenciler arasından namaz davetçileri oluşturup il ve ilçelerdeki okulları taradılar. Çok güzel hizmetler oldu. En son hizmetleri "Çocuklarımıza Namazı Nasıl Sevdirelim/

Çocuğumla Sevgi Secdesi" kitabımızı okutmak için muhteşem bir kampanya yürüttüler.

Namaz davasına herkes kendi imkanları ölçüsünde destek veriyor. Bazıları "İman, en büyük imkandır" diyerek bizlere imkanlarımızı fark ettiriyor.

İşte Taksim'de yaşayan, görme engelli Zeynep Atakan kardeşim bunlardan biridir. Bizi televizyondan dinleyerek-gözleri görmediği için- namaz hizmetlerinden haberdar olmuş. Heyecanlanarak, "ben de bu kervanda yerimi almalıyım," diyerek bize ulaşmanın derdine düşmüş.

İlk görüşmemizde "Hocam Türkiye'yi namaz için karış karış dolaşıyorsunuz. Allah razı olsun. Çok heyecanlanıyorum. Niçin Taksim'e gelmiyorsunuz? Taksim'dekilerin namaza ihtiyacı yok mu?" deyince nasıl cevap vereceğimi şaşırdım. Kısa bir şaşkınlıktan sonra "Zeynep kardeşim davet ettiniz de gelmedik mi?" diyerek kendimizi temize çıkarmaya çalıştık. Fakat Zeynep kardeşim bizim kaçamak cevamızın arkasını bırakmadı ve "Öyleyse ben sizi davet ediyorum. Lütfen en yakın zamanda ne zaman müsaitseniz bana bir tarih verin" demez mi? Şaka gibi ben de ajandamı açtım ve en yakın olabilecek tarihi bildirdikten sonra merakla "Zeynep kardeşim hangi vakıf, dernek, sendika ya da cemaat adına yapacaksınız organizeyi" deyince aldığımız cevap tokat gibiydi.

"Hocam inanmış bir yürek yetmez mi? İmanın en büyük imkan olduğunu biz sizin gibi değerli hocalarımızdan öğreniyoruz. Biz yapacağız Allah'ın izniyle. Şimdi bu çalışmaya nereden ve nasıl başlayacağımızı bize anlatın. Sizin tecrübeniz var. Gerisini biz hallederiz inşallah" deyince diyecek başka bir cümle bulamadım.

Zeynep kardeşime yapacaklarını tarif ettim. "Önce anlaştığımız tarihte bir salon tutacaksın. Duyuru için afiş, el broşürü vb. hazırlayıp onları dağıttıracaksın. Biz de size tv ve radyodan destek oluruz" dedim.

Zeynep kardeşim yaptıklarını gün be gün bize haber verdi. Her şey yolunda gitti. Program günü geldi Senai Demirci ağabeyle gidiyoruz. İstiklal caddesinde Muammer Karaca Tiyatro solonuna doğru giderken yolda kendi kendime düşünüyorum.

"Allah'ım bu caddede kimler Zeynep kardeşin çağrısını duyacak ve salona gelecek? Bizi acaba bu gece nasıl bir sürpriz bekliyor." derken salonun girişine vardık ki Zeynep kardeşim babası Ahmet Bey ile bizi bekliyordu.

"Hocam bizi kırmayıp geldiniz ya Allah sizlerden razı olsun. Bu gece çok farklı olacak." diyerek bizi karşıladı. Tabiri caizse yüzünden nur, dilinden bal damlıyordu.

Salona bir girdik ki beş yüz kişilik salon lebaleb dolu. Muhteşem bir heyecan var. Gerçekten bizim için çok farklı bir gece oldu. İmanın ne büyük bir imkan olduğunu Zeynep kardeşim bize bir daha gösterdi.

Şimdi bu satırları okuyan kardeşim, Zeynep kardeşin şahsında bir nefis muhasebesi yapalım. Rabbimizin bize verdiği imkanları biz ne kadar O'nun yolunda kullanıyoruz. Elimizdeki bunca imkanla namaz davasına nasıl bir destekte bulunabiliriz onu düşünelim.

Zeynep kardeşimi daha sonra televizyon programımıza misafir ettik. Kendisine anlattırdık yaptıklarını. Program sonunda kendisine gelen itirafları anlattı. Rabbimizin ikramlarını paylaştı. Onu izleyenler Türkiye'nin dört bir yanından harekete geçti. Telefona sarıldı.

"Hocam bize büyük bir ders oldu Zeynep hanımın gayreti. Bizler neler yapabiliriz? Ne zaman müsaitsiniz bizim şehrimizde de bir konferans yapalım. Biz de bu kervana katılalım" dediler.

Tokatlı Şerife Teyze, Ezineli İbrahim, Dikilili Lütfü ve daha niceleri... Rabbim bu hizmette zerre miktar gayreti olan bütün kardeşlerden razı olsun.

Bir hadis-i şerifte Efendimizin(sav) buyurduğu gibi:

"Ya öğreten, ya öğrenen, ya dinleyen ya da ilmi seven ol. Fakat sakın beşincisi olma (yani bunların dışında kalma) helak olursun."

Bizler hem namazlarımızı vaktinde kılacağız, hem namazlarını kılamayanları namaza davet edeceğiz, hem de bu hizmetleri yapanlara dua edip destek olacağız.

Bir insanın namaza başlamasına, Rabbiyle buluşmasına vesile olmak dünya ve içindekilerden daha hayırlıdır. Onun hayatı boyunca kılacağı namazların sevabının bir misli de vesile olana yazılacak ve kılanın sevaplarından bir şey eksilmeyecek.

Rabbimiz ne güzel buyurmuş:

"(İnsanları ibadet ve itaat için) Allah'a çağıran, salih (sevaplı) "iş ve hareket" yapan ve "şüphesiz ben müslümanlardanım" diyen kimseden daha güzel sözlü (olan) kimdir?"[85]

Bizim üzerimize düşen görev ise Yasin-i şerifte Rabbimizin adını zikretmeden o adam diye bahsettiği kişinin sözünü baştacı etmektir.

O şöyle diyordu:

"Ey kavmim! Gönderilmiş (bu elçi)lere uyun. Sizden hiçbir ücret istemeyen (bu) kimselere uyun. Onlar doğru yola erişmişlerdir. Ben, niçin beni yaratana kulluk etmeyeyim? Oysa ancak O'na döndürüleceksiniz."[86]

---

85 Fussilet suresi, 33
86 Yasin suresi, 20-22

Bu bölümü kısaca özetleyecek olursak, namazlarımızı vaktinde cemaatle kılmaya, yayınlanmış "Namaz Bilinci" kitaplarından en az üçünü okumaya, sevdiklerimizi namazla buluşturmaya, namaz bilincini geliştirmek için yapılan programlara katılmaya, böyle programlar düzenleyerek insanların bilinçlenmesine vesile olmaya, kendimizi davetçi olarak yetiştirip bu kervanda yerimizi almaya ve bu çalışmaları yapan kardeşlerimize dua etmeye çalışacağız. [87]

Nebevi Reçete

Efendimizin (sav) hedef gösteren muhteşem tavsiyesi:

"Allah'a yemin ederim ki, senin sayende Allah'ın bir tek kişiye hidayet vermesi senin için, kırmızı develerin olmasından daha hayırlıdır."

---

87   Buhari 7/3468, Müslim 2406/34

HÜLASA

Namazlarımızı huşu ile kılabilmek için buraya kadar anlattıklarımıza ilave olarak, ezan okunmadan abdest almaya ve hazırlıklarımızı tamamlamaya çalışmalı, mümkünse ezanı mescitte dinlemeli ve müezzinle birlikte ezanın cümlelerini tekrar etmeli, sonunda da ezan duasını okumalıyız.

Namazlarımızı ilk vaktinde, cemaatle ve ilk safta kılmaya gayret etmeliyiz.

Takva sahibi bir imamın arkasında namaz kılmamız bizim maneviyatımıza etki edecektir.

Namazdan sonra tesbihata ve dua etmeye özen gösterelim.

Namazın ezeli ve ebedi düşmanı olan şeytanın ayartmalarına ve vesveselerine karşı Rabbimize sığınarak yardım istemeliyiz. Namazımızdan çalmasına fırsat vermemeliyiz.

Namaz hırsızı olmaktan sakınmalı, namazda sağa sola bakmamalı, sadece secde edeceğimiz yere bakmalıyız.

Namazda okuduğumuz sureleri ve ayetleri çeşitlendirmeli ve anlamaya gayret etmeliyiz.

Rüku ve secdelerde tesbihimizi artırmalı, ta'dil-i erkana dikkat etmeliyiz.

Bizden önceki salih kulların namazlarındaki hallerini düşünüp onlardan ibret almalıyız.

Namazda huşunun fazileti ile ilgili bunun gibi eserleri belirli aralıklarla okumalı ve okuduklarımızı uygulamaya gayret etmeliyiz.

Sünnetlere ve nafilelere dikkat etmeli, onları Rabbimizin sevgisine vesile bilmeliyiz.

Misvak kullanmaya dikkat etmeliyiz.

Namaza dikkatli olan salihlerle arkadaşlık etmeliyiz.

Namaza gevşek olan, nefsinin esiri olanlarla -davet maksadı olmadan- fazla beraber olmamalıyız.

Namazda huzurumuzu kaçıracak şeyleri aradan çıkarmalıyız.

Nebevi Reçete

"Namazlara ve (bunlar arasında) orta namaza devam edin; gönülden boyun eğerek (vakit ve erkana riayet ederek) tam teslimiyetle Allah'ın huzurun(da namaz)a durun."[88]

---

88 Bakara suresi, 238

NAMAZLA ARAMIZDAKİ
ENGELLER

Namazla Aramıza Giren Engelleri Ortadan Kaldıralım

Gaflet halindeyken namaza durmamalıyız. Kimin huzurunda durduğumuzun bilincine varmalıyız. Bizi meşgul eden ne varsa elimizin tersiyle arkamıza atmalı ve tam bir teslimiyetle Rabbimize yönelmeliyiz. Onunla aramıza girenlere karşı Efendimizin(sav) şu uyarısını hatırlamalıyız:

Resulullah(sav) Hendek gazvesinde bir vakit namazını vaktinde kılmasına engel olan müşrikler için, "Orta namazdan yani ikindi namazından bizi güneş batana kadar alıkoydular, Allah onların evlerini, kabirlerini ve gönüllerini ateşle doldursun!" buyurmuştur.

Bir vakit namazını vaktinde kılmasına engel olan müşrikleri Rabbine şikâyet ederken vücudunu kan revan içinde bırakanlara, ashabını şehid edenlere, yurdundan hicrete mecbur bırakanlara, "Bilmiyorlar, bilselerde yapmazlardı" buyuruyor.

Buradan bizler de kendimize ders çıkararak namazla aramıza girenleri, namazda huşumuza engel olanları ve namazdaki manevi sarhoşluklarımızı ortadan kaldırmanın çarelerini arayacağız.

Çünkü Rabbimiz:

"Ey iman edenler! Siz sarhoşken, ne söylediğinizi bilinceye kadar... namaza yaklaşmayın..."[89] buyuruyor.

---

89 Nisa suresi, 43

Bizim aklımızı başımızdan alacak sarhoşluktan men ediyor. Ne söylediğimizi bilinceye kadar namaza yaklaşmamamızı istiyor. Demek ki namazda ne söylediğimizin bilincinde olacağız. Kendimizi toparlayacağız.

Bu bölümde bizi bizden alan engelleri ortaya koyarak onlardan arınmanın yollarını arayacağız.

Uykulu iken Namaza Durma

Huşu ile namaz kılmamıza bazı haller engel olabilir; bu halleri aradan çıkarmalıyız. Çıkarmadığımız zaman bedenimiz seccadenin üzerinde olsa da aklımız başka yerlerde dolaşabilir. Şeklen namaz kılmış oluruz fakat o namazdan faydalanamayız. Efendimiz(sav) namazda huşusuna engel olacak her şeyi aradan çıkarmıştır.

Namaz kılarken neyi nasıl okuduğumuzu bilemeyiz. Kıldığımız rekatları bile karıştırırız.

Böyle durumlar için Efendimizin(sav) tavsiyesi şöyledir:

Hz. Aişe(ra) anlatıyor: "Resulullah(sav) buyurdular ki:

"Sizden biri namaz kılarken uyuklayacak olursa, uykusu gidinceye kadar hemen yatsın. Zira uyuklayarak namaz kılanınız, istiğfar ederken kendi nefsine sebbetmeye kalkar da farkında olmaz."⁹⁰

---

90   Buhari, Vudu, 53; Müslim, Müsafirin 222

Sofra Hazırken Namaza Durma

Ramazan ayında duyduğum, duydukça da üzüldüğüm bir cümle var, "Hocam şu namazı aradan çıkaralım da ağız tadıyla bir yemek yiyeyim."

Aradan çıkarılmak istenen akşam namazı.

Biz gün boyu niçin oruç tuttuk?

Allah'a güzel kul olalım, nefsimizi terbiye edelim, ruhumuzu besleyelim ve şeytanın kurduğu tuzakları fark edelim diye değil mi...

Peki, namazı aradan çıkarma gayretimiz orucumuzla örtüşüyor mu?

Demek ki tuttuğumuz orucun da farkına varamamışız.

İnsan ne için yer ve içer?

Allah'a ibadetine güç, kuvvet olsun diye. Çünkü yaratılış gayemiz, Allah'a ibadet etmek; yemek ve içmek değil. Dünyaya yemeye ve içmeye gelmedik. Bunu gaye edinirsek amacımızdan şaşmış oluruz. Rabbimiz yatarılış gayemizi şöyle bildirdi:

"Ben cinleri ve insanları ancak Bana (ibadet ve itaatle) kulluk etsinler diye yarattım."[91]

Bizden istenen Rabbimize güzel kulluk etmek.

---

91   Zariyat suresi, 56

Bir günlük namaza ayırdığımız vakti, bir öğün yemekte tükettiğimizi gördükçe çok üzülüyorum.

Halbuki aradan çıkarılması gereken namaz değil, yemekti. Yemeği aradan çıkarıp ağız tadıyla namaz kılacaktık. Müslümanca yaşama şuurumuzu kaybettikçe her şey allak bullak oluyor.

Efendimizin^(sav) uygulamasını ise şöyledir:

Abdullah İbn Muhammed İbni Ebi Bekr^(ra) anlatıyor:

"Hz. Aişe'nin^(ra) yanında idik. Yemeği getirildi. Derken Kasım İbnu Muhammed namaza kalktı, Hz. Aişe^(ra):

Resulullah'ın^(sav) şöyle söylediğini işittim, dedi: "Yemeğin yanında namaz kılınmaz, iki habisin (yani büyük ve küçük abdestin) sıkışmasında da kılınmaz."⁹²

Demek ki sofra hazırken namaza durmayacağız. Sofrayı aradan çıkaracağız, ağız tadıyla namaz kılacağız. Aklımız yemekteyken kılacağımız namaz, namaz olmaktan çıkar. Yiyeceğimiz yemeği düşünmekten bir türlü namaza gelemiyoruz. Ya da ta'dil-i erkan ve huşudan çok uzak bir namaz kılıyoruz.

Namaz kılacağımız zaman mümkün oldukça ne çok aç ne de çok tok olarak namaza durmamaya gayret edeceğiz. Her ikisi de namazda huşuya engel oluyor. Orta yolu tutacağız.

Oruçluyken önce iftar edip sonra namaz kılmak daha verimli oluyor. Fakat burada da ölçüyü kaçırmamak lazım. İftar edelim derken iki öğünde tüketeceğimizi bir öğünde yemeye çalışırsak o da namazda huşumuza engel olacaktır.

Ölçü yine Efendimiz'den^(sav).

Resulullah^(sav) midesinin üçte birini yemeye, üçte birini içeceğe ayırır ve üçte birini de boş bırakırdı.

---

92 Müslim, Mesacid, 67

Bu ölçüye uyabilsek her şey güzel olacak. Fakat bu konuda da kusurluyuz.

Rabbimiz yeme ölçümüzü Efendimize uydurmayı cümlemize nasip eylesin.

Cep Telefonunu Kapat

Günümüzde namazla aramıza giren, huşumuzu katleden önemli bir teknoloji aleti cep telefonları. Namaza duracağımız vakit cep telefonlarımızı kapatmalı ya da titreşimsiz olarak sessiz moda almalıyız. Cep telefonu çalmaya başladığında huşu kalmıyor. Namazdan ve okuduklarımızdan çok kimin aradığıyla meşgul olıyoruz. Titreşimde olduğu zaman da öyle. Telefon titredikçe bizim de gönlümüz titremeye başlıyor. Camilerin girişlerinde şöyle bir uyarı var hoşuma gidiyor: "Hak ile irtibat için, halk ile irtibatı kesmek gerekir."

Hele bir de zil sesi olarak ayarlanan melodiler var ki evlere şenlik. Bunlar doğru değil. Bazıları sofuluk yapıyor ezan, dua ve Kur'an koyuyor. Bunu da doğru bulmuyorum. Tuvalette çaldığında çok kötü oluyor. Her şeyi yerli yerince kullanmalıyız.

Namaz kılacağımız zaman mutlaka telefonu kapatmalıyız.

Cemaate gittiğimizde kapatmayı unuttuysak ve çalmaya başladıysa kim aradı diye bakmadan tek elimizle kapatmalıyız. Başkalarının namazının huzurunu bozmamalı ve bize buğz etmesine sebep olmamalıyız.

Yeni çıkan akıllı telefonların ezan programında namaz saatlerinde sessiz modu var ki çok güzel. Namaz vaktinde otomatik olarak kendini sessize ayarlıyor. Biz unutsak bile o unutmuyor. Bu da kullanılabilir.

Abdestin Sıkışıkken Namaza Durma

Namazda huşuya engel en önemli problemlerden biri sıkışık abdestle namaz kılmaktır. Özellikle kış günlerinde abdest almak nefse zor geliyor. Hadi şu namazı da kılayım ondan sonra tuvalet ihtiyacını giderilim diye düşünüyor. Hem sağlığına hem de namazına zarar veriyor. Kış günlerinde abdest almayı kolaylaştıracak bir önlem olarak çorap mesti tavsiye edebiliriz. Kış günlerinde abdest almayı yüzde elli kolaylaştırıyor.

Her namazla birlikte abdest almak, Efendimiz(sav) tarafından tavsiye edilir. Abdest üstüne abdestin, nur üstüne nur olduğu ifade edilir. Abdest almadan önce mutlaka tuvalet ihtiyacı giderilmelidir. Çünkü bazı hastalıkların sebebi tuvalet ihtiyacını gidermemektir.

Yukarıda paylaştığımız Efendimizin(sav) uyarısını tekrar hatırlayalım: "...iki habisin (yani büyük ve küçük abdestin) sıkışmasında namaz kılınmaz."[93]

Başka bir hadis-i şerifte Sevban(ra) anlatıyor: "Resulullah(sav) buyurdular ki:

"Üç şey vardır, onları yapmak kimseye helal olmaz: "Kişi bir kavme imamlık yapar, sonra da sadece kendisi için dua eder, cemaatini

_____
93   Müslim, Mesacid, 67

dua dışı bırakır; bunu yapan onlara ihanet eder. Kişi, izin almadan önce bir evin içine bakamaz, bunu yapan ev halkına ihanet eder. Kişi küçük abdestine sıkışmış iken hafifleyinceye kadar namaz kılamaz."[94]

---

94 Ebu Davud, Taharet, 43

Seni Meşgul Edecek Şeylerden
Uzak Dur

Kul namazda Rabbiyle sohbettedir. Sohbete engel olacak parazitleri aradan çıkarır. Namazda kimin huzurunda olduğunu düşünen O'ndan başkasını düşünemez. Korkuyla ümit arası bir haldedir. Huzurda olduğu için mutludur. Gereğince ibadet edemediğini düşündüğü için tedirgindir. Namazda kulun huşudan gafil olmasının sebebi düşüncesinin dağınıklığı ve kalbinin Rabbine ilticadan mahrum oluşundandır. Çare ise düşünce dağınıklığının giderilmesi ve nerede olduğunun bilincinde olmasıdır. Namazda bu düşünce dağınıklığın dışa ve içe dönük sebepleri vardır. Bunlar giderilirse istenen sonuç elde edilebilir.

Dışa dönük sebepler gözün gördükleri ve kulağın dinledikleridir. Bunlar insanın dikkatini olması gereken yerden uzaklaştırır ve kendisiyle meşgul eder. Görmek, düşünmeye sebeptir. Düşünceler başka düşünceleri getirir. Kul olması gereken yerden çok uzaklara gider.

Niyeti sağlam ve himmeti yüksek olanı bunlar fazla etkileyemez. Ama zayıf olanlar bir türlü bu kısır döngüden kendini kurtaramaz. Öyleyse bunları bertaraf etmek için bazı tedbirlere ihtiyaç vardır.

Namaz kılarken dikkatimizi dağıtacak ortamda namaz kılmamalıyız. Namaz kılacağımız yerin sade ve loş olması güzeldir. Hatta seccade işlemeli olmamalı. Kıble yönünde bizi meşgul edecek herhangi bir resim vb şeyler bulunmamalı. Televizyonlu odada, bilgisayarın karşısında, birilerinin sohbet ettiği yerde ve dikkatimizi dağıtacak ne varsa bunlardan uzak durmalıyız.

Selçuklu mimarisi bu konuda enfes bir örnektir. Camiler oldukça sadedir. Kıble yönünde dikkat çekici tezyinat yoktur. Pencereler yüksektedir, dışarısı görülmez. Avlusu geniştir dışarıyla bağlantıyı keser. İçeriye girdiğinde manevi bir atmosfere girersin. Kendini Rabbinle başbaşa bulursun. Fakat günümüzde cami mimarisi bundan çok uzaktır. Camilerin altı ticarethanedir. Alttaki hareketlilik üstte duyulur. Kıble yönünde pencerelerden dışarıyı seyredersin. Başka lüzumsuz şeyler de vardır. Mesela kıble duvarındaki saat bile huşuyu bozan bir etkendir. Hele bir de altında düğün dernek yapılan salonların bulunduğu camiler var ki orada namaz mı kılarsın yoksa dans mı edersin belli olmaz. Bu ihtiyaç ekonomik sıkıntılardan ve gafletten doğmuş olsa da bir an önce bu uygulama terk edilmeli ve özüne döndürülmelidir.

İmam Gazali(r. aleyh) bunları "İhya-i Ulumi'd Din" isimli muhteşem eserinde en güzel şekilde izah eder ve gerekirse namazda huşuyu elde edebilmek için kişi gözlerini kapamalıdır, der. Sadece secde edeceği yere bakmalı.

Namazda dikkati toplama şuurunu elde edebilmek için dergâhlarda küçük odalarda çalışmalar yapılmıştır.

Sade bir oda ve tek kişinin namaz kılabileceği kadar bir mekan.

Sufiler nefsini ve duygularını terbiye edip kontrol altına alıncaya kadar bu mekanlarda nafile ibadetlerini yapmışlardır. Namazın kemalini kişinin sağ ve solundaki kişileri tanımamasında bulurlardı.

Bütün dikkatlerini kendi iç alemine çevirirlerdi.

İbn Ömer (ra) namaz kıldığı yerde kıble yönünde asılı bulunan mushaf ve kılıcını kaldırır ve duvarda yazı varsa silerdi.

Herkes kendini daha iyi bilir. Namaz kıldığımız mekanda bizi meşgul eden, huşumuza engel olan ve

Rabbimizle muhabbetimizi bozan ne varsa hepsini aradan çıkarmalıyız.

Fikir dağınıklığının kalbe tesir eden içe dönük sebepleri de vardır. Gayesi dünya olanın düşüncesi dağınık olur.

Düşüncelerini hiçbir zaman bir merkezde toplayamaz; daldan dala konar her tarafı dolaşır da bir türlü namaza gelemez. Böyle bir insan gözlerini yumsa da bir şey değişmez. Çünkü baktığını bile göremez durumdadır. Namazdan önceki meşguliyetleri ve düşünceleri onu meşgul etmeye yeter de artar bile. Böyle bir insan için çare, nefsini namazda okuduklarını anlamaya zorlaması ve onunla meşgul etmeye çalışmasıdır. Tekbir almadan önce kılacağı namazın son namazı olabileceğini, öleceğini, ölümün yokluk olmadığını, burada ektiklerini orada biçeceğini, ahiret hallerini, cennet ve cehennemi düşünmeye çalışmalı.

Sufilerin günlük tefekkürleri arasındaki kendi ölümlerini düşünmeleri faydalı bir metottur. Ahirette hesap anını düşünmek ve Rabbimizin gadabını üzerimize celb etmek ne dehşetli bir haldir. Bu hale sahip olan sahabe efendilerimizin bazı ayetler okunurken düşüp bayıldıkları olmuştur. Bunları düşünerek namaza başlamak okuduklarımızla meşgul olmamıza yardımcı olacaktır. Namaza başlamadan önce kalbimizi, işgal eden düşüncelerden arındırmaya gayret etmeliyiz.

Elbette ki bu hali elde etmek çok kolay olmayacaktır. Çalışır gayret eder, Rabbimize yalvarır yardım istersek imkansız da değildir. Ama hedefimiz olmalıdır.

Tek derdimiz namazımızı huşu içinde kılmak olmalı.

Namazda bizi meşgul eden şeyler şeytanın işini kolaylaştırır. Onları aradan çıkarmalıyız. Efendimiz'e(sav) Ebu Cehm, siyah ve nakışlı güzel bir aba hediye etti. Onunla namaz kıldı. Namazdan sonra onu çıkardı ve:

"Bu abayı Ebu Cehm'e götürün. Namazda üzerindeki nakışlar beni meşgul etti. Bana onun sade olan abalarından birini getirin. Onu giyeyim." buyurmuştur.

Başka bir sefer hutbe okurken parmağındaki yüzüğü çıkarıp atarak şöyle buyurdu:

"Şu yüzük beni meşgul etti. Bir size bakıyorum bir yüzüğe."

Efendimizin(sav) yolunu izleyenler, dünya adına ne varsa arkalarına atmıştır. Bizim en büyük eksiğimiz budur. Biz bizi meşgul edenlerle birlikte namazda huşu arıyoruz; bu da mümkün olmuyor. Bir ömür namaz kılıyoruz da huşuyu keşfedemeden göçüp gidiyoruz.

Hz. Osman döneminde bir sahabe hurma bahçesinde tam meyvelerin olma zamanında namaz kıldı. Namaz boyunca bahçenin güzelliği ve meyvelerin bereketi kendisini meşgul etti. Namazda kaç rekat kıldığını unuttu. Bunun üzerine Hz. Osman'a giderek durumunu anlattı ve:

"Bu bahçe sadakadır. Onu Allah yolunda istediğin gibi kullan." diyerek vakfetti ve namazla arasına giren çok sevdiği bahçesini aradan çıkardı.

Onların derdi Allah ile beraber olmaktı. Bu beraberliğe engel olan ne varsa aradan çıkarıyorlardı. Namazdaki eksiklerine keffaret olsun istiyorlardı. Bu hastalığı tedavi etmenin yolu bu olsa gerek.

Bütün bu hastalıkların temelinde dünya sevgisi ve tutkusu vardır. Dünyayı çok sevenin bütün düşüncesi dünya olacaktır. Dervişin fikri neyse zikri odur. Dünyayı bir gölgelik ve ahireti kazanma yeri olarak görür ve onu bu maksatla kullanırsak bir sıkıntı yok. Ama o bizim gönlümüzü işgal eder ve bizi kullanırsa işte bu çok kötü.

Maalesef bugün birçoğumuzun en temel problemi budur.

Bir kalpte iki sevgi beraber bulunmaz.

Kalbimizde dünya sevgisi ağır basarsa, Allah sevgisi azalacaktır.

Allah sevgisi yoğunlaşırsa, dünyaya rağbetimiz azalacaktır.

Gönlümüzü Allah ile meşgul etmeye çalışalım. Namaz dışında da Rabbimizi zikretmeye devam edelim. Baktığımız her şeyde O'nu hatırlamaya çalışalım. Besmelesiz bir işimiz olmasın. Zikrimiz önce dilimizde olur. Dil zikrede zikrede kalbin çalışmasına vesile olur. Kalp zikretmeye başlarsa bütün hücreler zikretmeye başlar. Bu durum elde edilince miracımız olan namazı elde ederiz. İşte o zaman namaz sırtımızda bir yük olmaktan çıkar özlenen bir buluşma olur.

Rabbimizden isteğimiz böyle bir namaz kılmayı bizlere nasip eylesin. Amin.

Açık Televizyonun Yanında Namaza Durma

Televizyon, çağımızın en güzel nimetlerinden biri olmakla birlikte aynı zamanda en büyük tehlike. Siz onu kontrollü kullanmazsanız o sizi kullanıyor. Birçok kanal bizim en büyük sermayemizi israf ederek ömür sermayemizi heba eden bir canavara dönüşebiliyor. Bugün evlerimiz onun işgali altında. En verimli zamanımızı sömürüyor. İbadetimize engel oluyor. Rabbimizle aramıza giriyor. Öyle hal oluyor ki televizyonlu odadan televizyonsuz odaya geçmek zamanın hicreti oluyor.

Bazı kardeşler köklü çözüme gidiyor. Evine televizyon sokmuyor. Tebrik ediyorum. Kolay bir iş değil. Ama herkesin bunu yapması mümkün değil. Eğer kontrol edilebilirse bu daha güzel. Olmayan ve ulaşılamayan şeyler daha cazip hale geliyor. Çocuklar başka yerlerde o meraklarını gidermeye çalışıyor. Bu da başka mahzurları doğuruyor. Ayrıca çok güzel yayınları olan kanallarımız da var. Oradaki güzel programlarla insan kendini geliştirebilir. Her şey kişinin iradesini doğru yerde kullanmasına bağlı. İradesini vahiyle terbiye edenler muvaffak oluyorlar. Kur'an'ın terbiyesinde olanlar ve Allah Resulü'nün(sav) izinde yürüyenler güzel sonuç elde edebiliyorlar.

Nafile namazları evde kılmak sünnettir. Riyadan korunmaya daha elverişlidir. Uzun kıraate müsaittir. Evlerimizin nasiplenmesine vesiledir. Çocukların eğitiminde çok önemli yeri vardır. Çocuklar namaz kılan büyüklerini gördükçe onları görerek öğrenirler. Televizyon açıkken yanında namaz kılmamalıyız. Aklımız ve gönlümüz onunla meşgul olmaktan namaza gelemez. Ne kadar namaza odaklanmaya çalışsanız da mümkün olmayacaktır.

Hayat kitabımızda Rabbimiz bizi meşgul edenleri bildirerek düşünmeye davet ediyor:

"Dünya hayatı bir oyun ve oyalanmadan başka bir şey değildir. Ahiret yurdu ise takvalı olanlar (Allah'ın emrine uygun yaşayanlar/ aykırı davranmaktan sakınanlar) için elbet daha iyidir. Hala düşünmeyecek misiniz?"[95]

Keşkelerin fayda vermeyeceği bir gün gelecek. Kişinin anasından, babasından, kardeşinden, eşinden ve çocuklarından kaçacağı bir gün gelecek. O gün herkes kendi derdiyle boğuşurken başkasını nasıl düşünsün. O gün keşkeler yükselecek. Faydasız çırpınmaların olacağı o gün gelmeden ve keşke demeden Rabbimizi dinleyelim:

"Bu dünya hayatı, bir eğlence ve oyundan başka bir şey değildir. Ahiret yurdu (oradaki hayat) ise, elbette (asıl yaşanacak) ebedî hayat odur; keşke bunu bilselerdi."[96]

Hesabımızı doğru yapmalıyız. Geçici dünya hayatı bizi aldatmamalı. Burası bir gölgeliktir. Asıl hayat ahiret hayatıdır. Bu ayetleri tefekkür ederek namaza durmak bizi geleceğe hazırlayacaktır. O gün yüzü gülenlerden olmak için şu habere kulak verelim:

"Ey kavmim! Bu dünya hayatı geçici bir faydalanma (ve eğlence) den ibarettir. Ahiret hayatı ise, doğrusu (işte) asıl (devamlı) durulacak yurt orasıdır."[97]

---

95 En'am suresi, 32
96 Ankebut suresi, 64
97 Mü'min suresi, 39

Dükkan Açıkken veya Yemek Ocaktayken Namaza Durma

Ticaretle uğraşanların dükkanı kapatıp cemaate gitmesi günümüz şartlarında nefse ağır geliyor. Ticari bir kayıp gibi görülüyor. Rezzak olanın Rabbimiz olduğunu unutuyoruz. Şeytan da bizi destekliyor. Çoğu zaman namaz vaktinin çıkmasına az bir vakit kala namazları dükkanda kılıveriyoruz. O kısa zamanda bile eğer dükkanda yalnız isek kapıyı kapatmayı bir kayıp görüyor ve öylece namaza duruyoruz. Kasanın yanında seccadenin üzerinde aklımız kapıda ve kasada, bedenimiz seccadenin üzerinde iken bu namaza ne kadar odaklanabiliriz?

Bu halde namaz mı kılarız yoksa kapıya bekçilik mi yaparız?

Bunun bir başka versiyonunu hanım kardeşler evde yaşıyorlar. Misafir gelecek hazırlıklar yapılıyor. Bir taraftan yemek veya kek pişecek bir taraftan da namaz kılması gerekiyor. Ne yapacak, yemeği ocağa koyuyor kendisi de namaza duruyor. Yemeğin soğanı kızarıncaya kadar ben sünneti kılarım diye düşünüyor. Kalıbı seccadenin üzerinde, zihni ocakta kalıyor.

Bu namaz ne kadar namaz oluyor?

Konuyu bir fıkrayla pekiştirelim:

Merkez caminin imamı yatsı namazında şaşırır. Üç rekat mı kıldım dört mü diye tereddüt eder. Selam verir. Cemaate döner ve sorar:

"Muhterem cemaat kusura bakmayın. Bir dalgınlık geldi üzerime ve kaç rekat kıldırdığıma tam karar veremedim. Üç mü kıldık yoksa dört mü?"

Hocaefendinin bu sorusu üzerine cemaatin yarısı üç, diğer yarısı ise dört kıldık der. Fakat bir türlü sonuca bağlayamazlar. Hocaefendi tereddütü gidermek için tekrar kıldırmaya karar verir. Bu sırada en arka safta duran, her vakit cemaate devam eden ve caminin altında dükkanı bulunan bir esnaf söz alır. Ve son noktayı koyar.

"Hocam namazı üç rekat kıldık. Tekrar kılmamız lazım. Neden diyecek olursanız, biliyorsunuz her vakit namazda sizinle birlikteyim. Cemaate devam eden bir kardeşinizim. Ben yatsı namazına durduğumda dükkanların muhasebesini yapardım. Namaz biter muhasebe de biterdi. Biliyorsunuz dört dükkanım var. Dört rekatta dördünün muhasebesini bitiriyorum. Bu gece üçüncü dükkanın hesabını bitirdim, siz selam verdiniz. Benim hesap ve hepimizin namazı eksik kaldı der."

Bu fıkraya gülüyoruz. Ama bizim namazlarımız resmetmiyor mu? Gülüyoruz ağlanacak halimize. Kimimiz dükkanda, kimimiz sınavda, kimimiz yemek yapıyor mutfakta. İster esnaf namazı deyin ister başka bir şey. Ama bu bizim resmimiz.

Namaza duracağımız zaman namazla aramıza giren her şeyi çıkaralım. Namazda huşuyu yakalayım inşallah.

Rabbimizin medhettiği ne ticaretin ne de alışverişin kendilerini namazı dosdoğru kılmaktan alıkoyamayacağı mü'minlerden olmak hedefimiz olmalı.

Ne mutlu onlara ki gönlü namazda, kulağı ezandadır.

"(İşte) nice adamlar (var)dır ki onları ne ticaret ne de alışveriş Allah'ı anmaktan, namazı dosdoğru/gereğine uygun kılmaktan, zekatı vermekten alıkoyar. Onlar, (dehşetinden) kalplerin ve gözlerin halden hale geçeceği bir günden korkarlar."[98]

Bu hakikatin adamlarını bekleyen gelecek muhteşemdir. Onlara çok önemli bir müjde vardır. Herkesin kendi başının derdine düşeceği günde onlar şu haberle sevineceklerdir:

"Çünkü Allah, kendilerini yaptıklarının en güzeliyle mükafatlandıracak ve (ayrıca) lütfundan onlara daha fazlasını da verecektir. Allah dilediğine hesapsız rızık verir."[99]

98   Nur suresi, 37
99   Nur suresi, 38

Söz Sonu

Rabbimiz:

"Şüphesiz Allah, benim ben. Benden başka hiçbir ilah yoktur. Bana kulluk et. Ve beni anmak için dosdoğru namaz kıl."[100] buyurdu bizler başüstüne Ya Rabbi diyerek emrine amade olduk. Sana kulluğumuz iftiharımızdır, dedik. O'na kulluğumuzu en güzel şekilde sunmanın derdine düştük. Nasıl namazı dosdoğru kılabiliriz sorumuza cevap Efendimiz'den(sav) geldi ve "Beni nasıl namaz kılıyor gördüyseniz siz de öyle kılın" diyerek tarif etti.

Yarattığını en iyi bilen Rabbimizin insan tarifi şöyle:

"Hakikaten insan(lardan bir kısmı), gayet hırslı ve sabırsız olarak yaratılmış (tatminsiz bir hayata sahip)tir. Kendisine şer dokunduğu zaman, sızlanıp feryat eder. Ona hayır dokununca da çok cimri kesilir. Ancak, namaz kılanlar öyle değildir. Onlar (güzel huy sahibi olarak) namaza devamlıdırlar. (Hiçbir meşguliyet kendilerini namazdan alıkoyamaz.)"[101]

Kurtuluşumuzun namazla olduğunu bildirerek;

---

100 Taha suresi, 14
101 Mearic suresi, 19-23

"Ey iman edenler! Rüku edin, secde edin, Rabbinize kulluk edin (emirlerine uygun yaşayın) ve hayır işleyin ki umduğunuza erişesiniz."[102]

Anladık Ya Rabbi cennete giden yol Sana güzel kulluktan geçiyor. Peki nasıl bir namaz istiyorsun bizden diye Rabbimize sorduğumuzda;

"Mü'minler muhakkak felah bulmuş (umduklarına ermişler)dir. Onlar, namazlarında huşu içinde (kalbi ve bedeniyle tam teslimiyet halinde)dirler."[103] cevabını aldık.

Bunu da anladık fakat namaz kılmak bazen nefsimize ağır geliyor dediğimizde;

"(Ey müslümanlar!) Sabır ve namazla (Allah'tan) yardım isteyin. Şüphesiz bu (şekilde yardım istemek Allah'a) gönülden saygı duyanlardan başkasına zor ve ağır gelir. Onlar, mutlaka Rablerine kavuşacaklarını ve O'na döneceklerini bilirler (de namazlarını yüksünmeden, huşu içinde kılarlar)."[104] ayetiyle cevabımızı aldık.

Ciddi bir uyarı ile sarsıldık:

"Hepiniz O'na yönelerek, emrine uygun yaşayın; namazı da dosdoğru/gereğine uygun olarak kılın (fıtratın dışına çıkarak ve hevanıza taparak) müşriklerden olmayın."[105]

Bizden öncekilerin sapıtma sebeplerini şöyle açıkladı Rabbimiz:

"Kendilerinden sonra arkalarından öyle (kötü) bir nesil geldi ki namazı bıraktılar ve şehvetlerine uydular. İşte (bunlar), azgınlıklarının cezasına uğrayacaklardır."[106]

---

102 Hac suresi, 77
103 Mü'minun suresi, 1-2
104 Bakara suresi, 45, 46
105 Rum suresi, 31
106 Meryem suresi, 59

Bizi bekleyen tehlikeyi bizden önceki münafıkların halini örnek vererek bildirdi:

"Münafıklar (kalplerinde küfrü ve düşmanlığı gizleyip dilleriyle iman ettiklerini söyleyerek güya) Allah'a hile yapmak isterler. Halbuki O, onların hilelerini başlarına geçir(ip cezalarını ver)endir. Onlar, namaza kalktıkları vakit üşene üşene kalkarlar (özen göstermezler), insanlara gösteriş yaparlar. Allah'ı da ancak pek az zikrederler (hatırlarlar)."[107]

Nefsimize uyar, şeytanın yolunu izlersek başımıza gelecekleri şimdiden haber vererek geleceğimiz hakkında tercih sundu bize:

"(Onlar) cennetlerdedirler. Onlar suçlulara: "Sizi kavurucu ateşe sokan nedir?" (diye uzaktan sorarlar.) (Günahkarlar) derler ki: "Biz namaz kılanlardan değildik. Yoksula yedirmezdik. (Kur'an'ın buyruklarını bırakıp, batıl şeylere) dalanlarla beraber biz de dalardık."[108]

Bütün bu hakikatler karşısında iki büklüm olarak yine O'na iltica ediyor ve diyoruz ki;

"(Ey Rabbimiz!) Yalnız Sana (ibadet ve itaatle) kulluk eder ve (her hal ve ihtiyacımızda) ancak Senden medet umar/yardım dileriz.

Bizi doğru yola (İslam'a) ilet (İslam ile yaşat).

Kendilerine (lütfundan) nimet verdiğin kimselerin yoluna (ilet); (emirlerine asi olmuş ve) gazaba uğramışların ve sapıtanların değil (Ya Rabbi)."[109]

Bu güzel dua ile kitabımızı bitirelim. Okuduklarınız kalbinize dokunduysa, yüreğinizde bir sızı meydana getirdiyse, namazlarınızı

---

107 Nisa suresi, 142
108 Müddessir suresi, 40-45
109 Fatiha, 5-7

mercek altına almanıza vesile olduysa ve kardeşlerinizin bundan faydalanacağını düşünüyorsanız hemen ilk aklınıza gelen dostunuzu okuması için teşvik edin.

Sizi etkileyen bölümlerden örnekler anlatın. Süre verin, takip edin. Okuduktan sonra bir başkasına. Sonra bir başkasına... Böylece siz de hayır yarışında yerinizi alın.

Rabbimiz bizi, dinimizin hizmetçileri kılsın.

Allahümme Amin ya Muin...